里程碑
文库
THE
LANDMARK
LIBRARY

人类文明的高光时刻
跨越时空的探索之旅

景徳鎮から海のシルクロードへ

粘连文明的泥土

陶瓷

やきもの文化史

[日]三杉隆敏 ▸ 著
吴昊阳 ▸ 译
吕东亮 ▸ 审校

YSP 北京燕山出版社
BEIJING YANSHAN PRESS

陶瓷：
粘连文明的泥土

[日] 三杉隆敏 著
吴昊阳 译
吕东亮 审校

图书在版编目（CIP）数据

陶瓷：粘连文明的泥土 /（日）三杉隆敏著；吴昊阳译. -- 北京：北京燕山出版社，2020.5（2024.3 重印）
（里程碑文库）
ISBN 978-7-5402-5737-8

Ⅰ.①陶… Ⅱ.①三… ②吴… Ⅲ.①陶瓷艺术—工艺美术史—世界 Ⅳ.① J537

中国版本图书馆 CIP 数据核字（2020）第 016954 号

Yakimono Bunkashi

by Takatoshi Misugi

选题策划	联合天际	特约编辑	谭秀丽
版权统筹	李晓苏	版权运营	郝 佳
编辑统筹	李鹏程 边建强	营销统筹	绳 珺 邹德怀 钟建雄
视觉统筹	艾 藤	美术编辑	程 阁 刘彭新

里程碑文库 THE LANDMARK LIBRARY

责任编辑	王月佳
出 版	北京燕山出版社有限公司
社 址	北京市丰台区东铁匠营苇子坑 138 号嘉城商务中心 C 座
邮 编	100079
电话传真	86-10-65240430（总编室）
发 行	未读（天津）文化传媒有限公司
印 刷	北京雅图新世纪印刷科技有限公司
开 本	889 毫米 ×1194 毫米 1/32
字 数	113 千字
印 张	5.75 印张
版 次	2020 年 5 月第 1 版
印 次	2024 年 3 月第 3 次印刷
书 号	ISBN 978-7-5402-5737-8
定 价	58.00 元

关注未读好书

客服咨询

本书若有质量问题，请与本公司图书销售中心联系调换
电话：(010) 5243 5752

目录

* * * * * *

序章　沙漠之国伊朗

跨越雨季的“土漠”

从德黑兰往东，穿过沙漠就可以到达马什哈德，然而两地间的路况实在让人不敢恭维。

我们乘坐的“路虎”牌越野车一路颠簸行进，突然嘎吱一声，车轮陷进了烂泥坑。司机猛踩油门，轮胎顿时呼啸着飞溅泥浆，车子不但没有前进，反而渐渐失去平衡，开始下沉。司机慌忙熄火，并招呼我们下去帮忙抬车，可是一点用都没有。我们四下搜寻，想找一些木头或者石头之类的东西来卡住车轮，但却一无所获。这里是一片棕红色的丘陵地带，荒无人烟，远处倒是有一座光秃秃的石头山，可是太远了，光是走到那儿就得用半天时间。此时正值雨季，整个大自然似乎都变柔软了，当下我们一车人正与它展开一场力量上的较量。

我们先卸下行李，尽量减轻车子的重量，使其稳定下来，然后所有人一边喊着“一二三”的口号，一边推车，同时司机轻踩油门，慢慢启动车子。这是我们从早上开始陷了三次烂泥坑之后总结出的经验。推车的时候，灰色的泥浆溅到了我的衣服上，并开始慢慢渗透，我用手一摸，指纹便清晰地印在了上面。那一刻，我思考的竟然不是车子的事，而是这土的黏性真不错，可以用来制作陶瓷。

这条路现在叫“亚洲高速公路”（Asian Highway），听上去很气派，可是30年前*的伊朗哪有那么多水泥路，全是烂泥路。过去，我在伊朗乘坐巴士的时候也遇到过这种陷进泥坑的糟心事。当时司机试着重新发动车子，但失败了，无奈之下只好让乘客先下车。乘客们自由分工，一些人拉绳子，一些人推车，还有一些人指挥，司机配合着大家喊的“一二三”的口号踩油门。庞大的巴士从泥沼的怀抱里艰难挣脱，之后大家陆续回到车上坐好。对他们来说，巴士陷进泥坑已经是司空见惯的事了。推车时，有件事让我既感动又羞愧，当时他们向我摆手，说我是外国人，不能被泥浆弄脏了衣服，就不用帮忙推了。于是，我就傻站在一旁看他们推车。

化用一下“沙漠”这个词，这里可以说是伊朗的“土漠”了。

清真寺的墙壁与察伊哈纳的水壶

沿着棕红色的沙漠一路前行，地平线的另一端突然显现出一抹绿色，我以为那是绿洲，心中大喜，走近后才发现是一座清真寺的绿色穹顶。清真寺的穹顶有绿色的、金黄色的，上面还矗立着一座细长的宣礼塔。虽然它不是真正的绿洲，却如绿洲般等待着旅人的来访。

尽管当时我坐在车里，但看到清真寺的瞬间还是感觉一阵心安。以前的人出门远行，要么骑骆驼或马，要么步行，如果能在一片荒漠中看到一座清真寺，那是多么令人振奋的事啊。夜幕降

* 由于本书的写作时间在1989年，所以书中出现的某某年前，均以1989年为时间节点。后文同类时间不再一一加注。——译者注

临，宣礼塔上发出点点光亮，恰似沙漠中的灯塔。此外，清真寺的墙壁非常厚，即便沙漠酷热难耐，里面依然清凉宜人。

靠日晒制成的砖头称不上陶瓷，但用火烧制的砖头就是另一回事了。我到伊朗后才知道，原来宏伟的清真寺是用瓷砖（烧制的砖头）堆砌起来的。每块砖都被涂上了艳丽的釉药，将它们垒在一起，棕红色的沙漠中就出现了一座美轮美奂的建筑。

其实，我们在日常生活中见到的马赛克镶嵌砖和瓷砖都是陶瓷。

我原以为陶瓷无非是些锅碗瓢盆，但当我站在伊朗人用烧制的马赛克镶嵌砖和瓷砖砌成的阿拉伯式花纹墙前时，立刻被它的那股魄力震慑到了。多数阿拉伯建筑的穹顶和墙壁的凹陷处都刻有唐草纹或几何纹，当这些花纹出现在清真寺时，便立刻营造出一种意想不到的美。这和我在照片或者书刊上看到那种在晴空下闪闪发光的清真寺时的感觉完全不同，是一种直击心灵的感觉。原来这就是陶瓷的世界啊。

沙漠沿途零零星星地分布着一些泉眼。人们利用一种叫“Qanāt”*的地下水道从几十公里外的山上引水至沙漠中央的人群聚居地。这里有一处小小的察伊哈纳，在伊朗、印度和苏联†，人们常把茶称作“察伊”，“哈纳（或哈尼）”则是小馆子的意思。

中午时分，在气温高达50℃的沙漠中行进，就算是开车也很

---

* Qanāt，坎儿井或暗渠，在伊朗又被称作“Kanat”。——译者注

† 本书写于20世纪80年代，当时苏联还未解体。——译者注

煎熬，但如果能遇到一家察伊哈纳，喝上一杯红茶，顿时便不觉得热了。客人们有时等不及水烧开，大喊道“先给我来杯水”。这时，店家就会拿着素烧壶过来给客人倒水，那水喝起来清凉爽口。

尽管我早就知道在高温干旱的地区，素烧壶里的水分会慢慢渗到陶壶表面，之后表面上的水分快速蒸发，从而带走热量，使得壶里的水能够保持清凉这一原理，但直到这一刻我才真正体验到壶里的水竟如此清凉。

现今世界上仍有不少地方在用素烧陶器盛水，比如开罗郊外的那些八米多高的窑，一次能烧制出几千个素烧壶。但是自从价廉又不会碎的塑料容器问世之后，陶器在世界范围内快速被淘汰。随着文明进程的推进，连一些偏远地区都通了电。如今，随着电冰箱的普及和城市供水系统的发展，“原始的”素烧壶不再是生活中的必需品。

然而在伊朗，直到今天，即便是首都德黑兰这样的城市，素烧壶依然在普通人家的厨房里占据一席之地。素烧陶器跨越了人类几千年的历史，20世纪时依然在烧制。这次伊朗之旅更是加深了我对素烧陶器的喜爱之情。

波斯的陶器文物

我在德黑兰最先结交的不是博物馆的工作人员，而是古董商，他们多是伊朗籍犹太人。伊朗革命爆发后，他们分别搬到了日本、伦敦、纽约和洛杉矶等地，其中有几个人到现在还跟我保持联络。

一开始，波斯美术的研究由法国的考古学家主导，后来由美国等国的考古学家接手，再后来日本的学者也参与了进来。尽管波斯疆域辽阔、历史悠久，但考古发掘却没有多大进展，出土的文物几乎全是陶器，而且大多是盗墓贼挖出来的。

初春时分，冰雪消融，伊朗难得有一段雨季，平时坚硬的土壤变得柔软易挖，人们趁着农忙还没开始，抓紧时间大捞一笔。因此，天气变暖之际，也是盗墓活动最猖獗之时。

约30年前，我第一次去伊朗，当时盗墓贼在靠近里海的阿姆拉什附近盗走了大量史前陶器，并把它们卖给了德黑兰的古董商。尤其是瘤牛形和鸟喙形的陶壶，因其造型奇特，颇受欢迎。

可是这些陶器具体是在哪儿挖的？没有人知道。盗贼们对此守口如瓶。当然，全世界的盗墓贼都是一副德行，不光在伊朗，在中国和新大陆安第斯山区也都一样，他们会故意误导他人，明明是在东边挖的，却说是在西边。

在德黑兰时，我遇到过某个地方的村长带着一行人卖文物。当时我正在一个古董商朋友那里做客，那些人从随身携带的陶器中挑出三四件，开始和我这位朋友谈价钱。我虽然听不懂他们说的话，但从语气上能判断出一个想高价卖，一个想低价收。朋友的儿子会说英语，他时不时会告诉我双方谈到了什么地步。但从我观察到的情况来看，这不像是一天能谈成的样子。

村长一行人还拜访了其他古董商和买家。他们之间交涉过程的曲折烦琐，不是我们这些急性子的日本人所能忍受的。我甚至还和这位村长在其他古董店偶遇过。

我第一次考察伊朗是在1963年，而日本的古董商把目光投向德黑兰则是几年之后的事了。那时候，土器和陶器的考古发掘在继续中，甚至挖出了和正仓院藏品一样的雕花玻璃。这一时期，我在当地学到了很多知识，过得很开心。

如果没去伊朗的话，我想我不会对除中国之外的陶瓷有如此浓厚的兴趣。土器、陶器和瓷器虽然都属于陶瓷，但它们之间有着本质的区别，具体我会在后文中详述。世界陶瓷史上的两座高峰，一个是中国，另一个是波斯。当时，我虽然对中国有着无限憧憬，却没有机会去实地考察，实在可惜。

阿德比尔神庙的藏品

我在研究伊朗的中国瓷器时，接触最多的就是阿德比尔神庙的藏品。

在里海西岸，距离苏联不远处有一座海拔1500米的高原，上面是阿德比尔的古城，16—18世纪波斯的萨非王朝就发源于这里的萨非教团。城内建有祭祀萨非王朝先祖谢赫·萨非·丁的谢赫萨非丁长老陵园和圣殿建筑群。1611年，萨非王朝历史上的明君阿拔斯一世将宫廷珍藏的1162件中国瓷器捐给了这座圣殿。

阿拉伯人将自己使用的贵重物品供奉给清真寺的习俗称为“巴库夫斯”。阿拔斯一世称其为“巴库纳”，意为“高贵而神圣的奴隶阿拔斯供奉萨非圣殿”，他还让人用阿拉伯语将其刻在了墙上，铭文横宽2厘米，纵深1厘米。

阿德比尔过去属于阿塞拜疆，远离“丝绸之路”的主干道，这在后来竟成了件幸运的事。阿拔斯一世捐出的这1162件瓷器在之后的400年间历经沧桑，除去破损和被盗走的部分，截至20世纪末约有900件被保存了下来，真是奇迹。

这些藏品中绝大部分产自中国景德镇，包括元青花瓷37件，部分明初时期的高品质青花瓷，以及少量明末时期的五彩瓷。其中有一部分是阿拔斯一世于16世纪迁都时运到这里的，还有一部分是从中国进口的。

伊斯坦布尔托普卡帕宫的藏品数量高达12000多件，其中有不少古代文物，但收藏的历史背景大多不详。与之相比，阿德比尔神庙有1611年这个明确的时间节点，为我们研究陶瓷的编年史提供了便利条件。

当时，阿拔斯一世的臣下、天文学家阿拉尔·艾丁·穆罕默德·穆纳希姆将每件藏品的明细都记录了下来。此外，神庙的管理员穆罕默德·喀什·别库·萨非于1759年3月24日记录“藏品共有1018件”。

除此之外，还有一些关于来访者的记录，如1637年的亚当斯·奥利·阿利乌斯，1810年的詹姆斯·贾斯汀·莫里尔，1910年的费雷德里克·萨勒。尤其是费雷德里克，他非常喜欢中国的瓷器。1930年，伦敦举办“大波斯展”时，他在艺术杂志《阿波罗》（*Apollo*）上发表文章专门介绍了这批中国瓷器，欧美学者这才认识到阿德比尔神庙藏品的重要性。

伊朗政府担心这些藏品放在边境小镇不安全，于是在1935年把805件瓷器转移到了德黑兰的伊朗国家博物馆。美国人约翰·波普对阿德比尔神庙中的藏品进行了实地考察，并于1956年出版了著作《阿德比尔神庙里的中国瓷器》（*Chinese Porcelain from Ardabil Shrine*）。

受此启发，我于1967年对当地进行了为期十个月的实地考察，主要的考察地点是伊朗国家博物馆以及伊斯法罕和大不里士地区的一些藏馆。其间，我有幸被获准进入阿德比尔神庙，得以观赏到那些被封存在里面的藏品，包括82件青花瓷、白瓷、黄釉瓷、五彩瓷及收纳用的木箱，尽管当中有不少已经碎裂。当时我拍了照，还认真做了笔记。一直以来，人们都以为阿德比尔神庙内没留下任何东西。由于神庙位于边境小镇，所以像约翰·波普和大英博物馆的巴泽尔·格雷这样的外国人都不允许进入。但是，我作为一个外国人却可以进入调研，这在欧美学术界引起了热议。

* * * * * *

陶瓷文化

土器：陶瓷的原点

火与土

当火与土这两者相遇，我们便可以制作出陶瓷。

在人类掌握了随时随地生火的技能后，偶然间，古人们发现在优质的黏土上烧火，黏土会变得坚硬，这就是陶瓷的起源。

地表上的岩石风化成小颗粒，这些小颗粒与水融合后会变得黏稠。小颗粒中的小微粒聚集在一起，就形成了适合制作陶瓷的黏土。地区不同，黏土的构成成分也不同。有些地方直接用天然黏土制作陶瓷；有些地方则是在水槽中加入黏土，进行搅拌和过滤，制成更精细的陶瓷原料，这种做法称作“水簸”（有时也称作“水飞”或者“水漉”）。原料的采集和成分调整都不简单，即便在今天，叙利亚、摩洛哥等地用现代方法烧制土器的时候，仍要用沙漠土、河床土和窑厂附近的土等三种以上的泥土混合在一起制作原料。

之后，需要往泥土里添加水以增加其黏性，这样才更容易成形。当然，土和水的比例以及干湿程度都需要严格把控，同时还要注意不能让空气残留在黏土中。在古代，人们通常会把绳子缠在棍棒之类的东西上，然后用其在成形的坯体上勒出花纹，或者用含铁、锰之类的矿物质做颜料，在坯体上绘出黑色或褐色的纹饰。

接下来，就是烧制的阶段了。

在经过“原料调整”“成形”“花纹绘制”和“烧制”四道工序之后，土器才算被真正地制作出来。窑炉的温度一般控制在800℃左右，有时会达到1200℃，但是如果窑温低于450℃，那烧出来的土器就和太阳晒干的砖坯没什么区别了。

第一步先造出“土器”，日本人可能更习惯“素烧”这个叫法，不过它们都指同一种东西。日本史前时代的土器、绳文时代的绳文式土器及后来的弥生式土器，都属于这一类。

野烧与窑烧

成形的坯体要如何烧制呢？有两种方式，一种是野烧，另一种是窑烧。

野烧，顾名思义，即在野外堆起一堆壶或瓮，然后覆上燃料点火烧制。尽管这种方式很原始，但在印度尼西亚、印度、尼泊尔、危地马拉和墨西哥等地仍在使用。日本绳文时代和弥生时代的土器都是用野烧这种方式烧制的。最近，实验考古学试图再现过去的野烧情景，但我实地调查后发现当地的野烧要比学术性的重现更为合理高效。

你或许会以为一年四季都可以用野烧的方式烧制土器，但实际上只有在干旱的夏季才能实施，比如景德镇的古人们就是在旱季用野烧方法烧制陶瓷的，今天韩国烧制泡菜坛的窑炉在冬季也是不点火的。雨季里，如果在窑炉的上方搭一个雨棚倒是可以烧制，但烧出来的器皿的干湿比不合适，所以窑炉在雨季一般不开工。

坯体在烧制时绝不能开口向上摆放，必须开口冲下，这是为了让火焰能烧到内部，使其内外受热均匀。此外，为了让坯体能够更好地接触火焰，它们一般不会被直接放到地上，人们会先在地上铺一层烧制失败的陶瓷碎片，然后再在上面摆一层或两层坯体，这样能确保空气流通。

你可能会以为只要火焰烧得够高就可以，但其实恰恰相反，人们要注意的是不能让热量流失，因此需要不断地把最底下的灰烬扒出来盖到上面，不让火焰烧得太高。此外，野烧的烧火时间很短，基本上只需一个小时左右，和窑烧那种动辄就五六个小时慢慢加热的做法完全不同。短时间内大火猛烧是野烧的显著特征。

各地野烧用的燃料也不同，人们会因地制宜地利用当地的资源，比如在印度尼西亚，人们会用甘蔗渣；中东地区的人们会用牛羊的干燥粪便；孟买地区会用具有良好导热性的棉花种子；在新大陆，人们则会用甘蔗和玉米的秸秆。无论在哪个地方，人们都在发挥着自己的聪明才智，试图在当地找出能与火和土相配的燃料。

至于烧制的窑炉，如果要细分的话，种类就太多了。在这里，为免内容冗长，我只分了三大类——筒窑、穴窑和登窑。我认为，这三大类已经足够反映人类的智慧了。

筒窑：下方有一个带火口的烧成室，上面摆放了几根棍子。这些由棍子组成的架子中间留有一定的空隙，使得下方的火苗很容易就烧到上面，而上方燃烧后的灰烬也能经由空隙落到下面。

架子上堆放着壶、皿等坯体，窑上没有顶盖。有时，我们在野烧点附近会看到一座高高的筒窑，大多数情况下那是野烧点慢慢垒高后形成的。筒窑的构造原理和焚化炉是一样的。在圆筒状的油桶下方开一个火口，上面铺上格子架，筒窑就成了一座土制焚化炉。没有顶盖的筒窑在日语中又被称作“吹拔窑”，单室窑就是吹拔窑的一种。

穴窑：中国、伊朗和日本都有穴窑，不过日本穴窑的结构有些许不同。针对穴窑的常见结构，我在这里举例说明一下：假如某地北部的土层较柔软，而且容易挖坑，那么我们就斜着挖一条地道，并在下面开一处火口。然后再把地道中间的位置挖空，犹如一个大洞窟，最后把那些待烧的坯体放在里面。此外，窑的更深处设有烟囱，烧成室还加了顶盖。这种方法造出来的窑炉就是穴窑。筒窑在窑炉的底部放置格子架，穴窑则是戳小孔做火眼，或者放个带孔的架子，像日本濑户和多治见地区的那些烧制土师器和须惠器的窑炉一样，沿着斜坡挖一条宽阔的隧道，在下方开火口，上方的鱼糕状顶盖用柱子支起，顶盖的尽头还设有烟囱。这种在窑床处挖斜面的窑炉遍布世界各地，且名称各异，如韩国的竹节窑和中国的龙窑。

登窑：穴窑的升级版，在斜面处有多个烧成室。首先在火口处慢慢加热第一座窑室，然后热量进入第二座窑室，由于窑床处也戳有火眼，所以两者可以同时加热，以此类推。这种窑炉既可以从侧面烧火加热，也可以一座接一座地加热，由此高效利用下方升起的火焰和热量。有时，人们甚至会一下子建十五到二十座拱形烧成室，它们呈阶梯状排列。登窑的墙壁极耐高温，而匣是一种能阻挡窑中灰烬落到坯体上的耐火容器，因此可以把坯体放到匣里，然后再入窑烧制。此外，耐高温的登窑甚至可以烧制烧成温度高达1300℃的瓷器。

不会用辘轳的名匠

今天，我们要去陶艺师的工作室拜访。想象中，进入陶艺师的工作室时，首先映入眼帘的场景一定是陶艺师们一边踩着辘轳，一边用神奇的双手把一块块黏土变成碗、钵，乃至体形较大的壶。人们通常以为辘轳在陶瓷制坯的工序中扮演着不可或缺的角色，然而事实并非如此。

我的朋友利冈清光先生从事九谷烧陶瓷行业。一天，一位毕业于韩国某艺术大学陶艺专业的年轻人来做客，这个年轻人在制作陶瓷时就不用辘轳。利冈先生得知他不会用辘轳的时候大吃一惊，还说这个年轻人在学校到底学了些什么。这个年轻人叫卢庆祚，现在是韩国知名的现代陶艺家，在韩国及其他国家举办了多场个展。这样一想，已故的陶艺大师北大路鲁山人也不会用辘轳，但这不妨碍他的作品以独特的风格吸引着人们。

你可能会质疑，不会用辘轳要如何制作陶瓷？事实上，陶瓷行业有专人负责踩辘轳，韩国的辘轳匠就能充分领会创作者的意思，制作出合乎要求的坯体。像北大路鲁山人这种级别的大师，自然有个人专属的辘轳匠。据说，古时候日本就有人背着自己常用的辘轳车辗转于各地的窑厂。

这样看来，辘轳和陶瓷之间有着密切关联，然而在墨西哥和安第斯山区，人们自古以来就不用辘轳制作陶瓷。他们在制作体形大但厚度薄的壶、瓮时，先用泥条盘筑法把黏土搓成条状，再把一条条黏土盘成圈，垒成一个稍厚的坯体，之后从两边不断"旁敲侧击"，从而把坯体变薄，使之成形。另一种方法是模具嵌制。直到今天，危地马拉和墨西哥的人们在制作陶瓷时仍然不用辘轳。正因为不用辘轳，安第斯山区才出土了很多形状匪夷所思的古代土器，如马镫状的陶壶。辘轳又名陶车，而我在印度和尼泊尔的窑厂中见到的辘轳是在汽车车轮上套上一层橡胶胎制成的。

根据不同的结构，辘轳可分为两大类。第一类是蹴辘轳，辘轳转盘的下方有块踏板，陶工坐着就能踩，脚一踩转盘就会转动，一般是用右脚踩，转盘向左转动。第二类是手辘轳，陶工需要坐在地上，用手转动辘轳，将坯体慢慢拉成碗或壶的形状，因为大部分人习惯用右手，所以辘轳被设计成顺时针方向转动。蹴辘轳多在中国和朝鲜半岛使用，而手辘轳则常见于人们习惯了坐在地上的日本。日本九州和丹波地区还出现了逆时针转动的辘轳，这证明了两地的窑炉均属于大陆系。

为了让辘轳的转动更加顺畅，各个地方的人们千方百计地提高辘轳的惯性和转速。在古代的景德镇，人们会在辘轳上系一根绳子，绳子穿过房屋的顶梁从另一边垂下来，然后把绳子的另一端绑在辘轳匠身上，这样辘轳就增加了一个人的重量，其惯性就变大了。另外，辘轳的中心零件也不同，有的是笔直的，有的稍稍前倾或后倾。我在印度尼西亚还见到了需要趴着踩的辘轳，转盘中心是铁制的，两边各有一块平整的圆形板。陶工用大脚趾慢慢踩动辘轳，转盘转动，接着两边的圆形板便会连续拍打上面的坯体。总之，辘轳的样式实在太多了。

这些辘轳在各地是怎样传播的呢？其发源地又在哪里？它们出现在同一时期吗？这些问题的答案我们无从得知。截至目前，还没有一个能覆盖全世界的相关调查。如今，人们已经用上了电动辘轳，坯体也逐渐改用石膏模具成形，这使得陶瓷的大批量生产成为可能。我衷心希望自己能在传统技术未被完全淘汰前完成相关的调查研究，将辘轳做一个更细致的分类。

此外，在制作大型的壶或瓮时，如果辘轳转不起来，就只能靠人工转动坯体来达到这一效果了。

陶器走向世界

质朴的炻器

陶瓷的分类方式有很多种，本书将其分为土器、炻器、陶器和瓷器四大类。不过，日本陶瓷界更倾向于将陶瓷分成土类和石类这两种，土器、炻器和陶器属于土类，瓷器则属于石类。由于

新石器时代

马家窑文化彩陶罐

纽约大都会博物馆藏

瓷器的原料是高岭土，高岭土在日语中被称作“磁石”*，所以瓷器是石类；而土器、炻器和陶器的原料是黏土或陶土，所以是土类。

“炻器”一词不太常见，在此稍作解释。炻器是一种灰色的陶瓷，在中国又叫灰陶或瓦器。日本的土师器和须惠器都属于炻器。日本传统的陶瓷六大古窑——备前烧、丹波立杭烧、常滑烧、越前烧、信乐烧和濑户烧——烧制出的陶瓷也是炻器的一种。在日本，在以备前烧等著称的西部地区，人们把炻器称作“烧缔”（やきしめ），东部地区则颠倒过来，称其为“缔烧”（しめやき）。

炻器主要用登窑烧制。烧制土器的窑温一般在800℃左右，但烧制炻器则需要1100℃～1200℃的高温，只有达到这个温度才能把坯体烧硬。炻器的吸水性较差，因此用作砖瓦或水壶时不会出现渗水现象。

在气候炎热干燥的国家，人们希望水壶能有一些渗水，这样可以让壶内的水保持在一个较低温的状态。可是日本气候湿润，人们自然想方设法地防止陶瓷渗水。在玻璃质釉药出现之前，这个问题一直未能解决。尽管人们发现窑内的柴灰落到坯体上会形成一层自然釉，但人工上釉是下一阶段的事了。

陶瓷品位真的很神奇，并不是烧制技术好，烧出的优质陶瓷就会受欢迎。直到今天，六大古窑地区依然在烧制炻器，但这需要适合的土原料，因此备前烧等窑口的人们在田间寻找黏土，找

---

* 日语的“瓷”写作“磁”，如“陶磁”“磁器”。——译者注

到后便就地建窑，其他地方的人也是如此。古法烧制出的炻器摸上去很粗糙，有些在窑炉中发生氧化反应变成红色，有些发生还原反应呈灰色，从中隐隐透出的色彩受到烧制者和陶瓷鉴赏家的热烈追捧。

中国的灰陶和瓦器也属于炻器。中国古墓里的随葬品多用瓦器，不具备实用性，其表面的色彩则是用岩画工具所绘。在欧洲，德国和荷兰有一种叫“Steinzeug”的炻器，烧成温度高达1200℃，最后阶段用食盐上釉，从而使器皿呈褐色。历史上，那些来到日本的葡萄牙商船、荷兰商船上的酒瓶就是这种炻器。由于瓶身雕有一个大胡子人头像，当时的日本人称这种酒瓶为“髭德利”。

在欧洲人学会烧制白瓷之后，炻器就被淘汰了。但在地球另一边的日本，直到今天，六古窑依然在烧制炻器。在原始朴素的物件中探寻美，的确是日本人一贯的作风。

陶器的特征

首先，了解陶器的特征有助于我们分辨陶器和瓷器：陶器——有色胎土，有吸水性，无透光性，导热性差，敲击声较钝；瓷器——白色胎土，无吸水性，有透光性，导热性佳，敲击声清脆。

其次，从陶瓷的断面来看，土器、炻器和陶器的土色较粗糙。瓷器因为要用1300℃的高温烧制，黏土在窑炉中发生熔融现象，故呈白色，而且由于整个器皿都被涂上了玻璃质釉药，所以断面边缘就像刀刃一样，看上去既锋利又明亮。

除中国之外，那些不产瓷土的国家也做了很多尝试。尤其是波斯，尽管波斯陶器在烧制时窑温超过800℃就会开裂，但他们还是用这种材料发展出了高度发达的陶器文化，这一点非常值得称赞。

为陶瓷上釉并非中国的专属，埃及和波斯的陶工们也会，并由此产生了两大类釉：

灰釉——这种技术在中国古代就已经非常发达了。一开始，人们发现窑炉中的柴灰落到器皿上时会融化成玻璃状，我们称之为“自然釉”，这种现象在日本的须惠器中十分常见。古人们发现了自然釉之后，以此为基础，开始人为地往烧制中的器皿上撒草木灰、蕨灰、秸秆灰、高粱灰、豆灰等。烧制上釉技术经过了长时间的改进和演化。

玻璃釉——中东的釉药基本上是低温釉。先造出一个琉璃器皿，再把这个琉璃器皿融进新的大器皿，可这终究不是个好办法。于是人们想到在烧制好的土器上撒玻璃粉，然后再回炉烧制，这样土器的表面就会生成一层光滑的釉层，色彩斑斓，比之前的茶褐色漂亮多了。美中不足的是，它不是透明的。在器物表面施加玻璃釉成了一种潮流，该技术从中东传到了欧洲。

目前发现的人类历史上最古老的玻璃釉物件是制作于公元前4000年的埃及玻璃球。埃及的土里富含丰富的天然苏打，因此可用作苏打玻璃的原材料，再加上埃及黏土中含有大量硅酸，也就是石英，能让胎土和釉药完美地融合在一起。

在公元前1700年左右的土耳其的遗迹中出土的陶瓷碎片上发现了类似铅玻璃的釉层，由此推测土耳其地区陶瓷釉的发展轨迹不同于苏打玻璃釉。铅玻璃釉的熔点低，可以在器皿上涂上厚厚一层，所以就算是石英含量少的陶土也适用。公元前8世纪，方便的铅釉技术在中东成了主流，后在罗马时代伴随着希腊文化向外传播。不仅是中东，在中国汉代的陶瓷随葬品中发现的绿釉制品中也使用了含铅的釉药。

从波斯到欧洲

“伊朗陶器”和“波斯陶器”在很多情况下是同一种含义，而在伊朗之外的其他中东国家用同样技术烧制的陶器，人们习惯上也称其为“波斯陶器”，因此本书从广义上统称它们为“波斯陶器”。

阿富汗的伊斯塔利夫陶瓷和巴基斯坦陶瓷都属于木尔坦窑青釉陶器，而撒马尔罕、布哈拉、塔什干等中亚河中地区烧制的波斯系陶器，我们则称为“河中陶器”。

高加索南部地区烧制的库巴奇瓷砖上绘有大量人物侧脸像。起初，这一地区的清真寺是用茶褐色的砖头建造的，墙面凹凸不平。自14世纪起，随着彩色瓷砖和马赛克瓷砖技术的普及，清真寺也逐渐变得美轮美奂起来，比如今天我们在撒马尔罕的夏伊辛达墓园和古尔－艾米尔陵墓群（是帖木儿及其后嗣的陵墓）内看到的那些色彩艳丽的建筑。

从伊朗往西，波斯文化在伊拉克、叙利亚、土耳其和埃及这四个国家落地开花。巴格达、大马士革、阿勒颇、开罗和伊斯坦布尔等城市各有特色，但都离不开波斯文化的影响。后来，波斯文化经由摩洛哥传到非洲，之后穿过直布罗陀海峡到达伊比利亚半岛，最后又以阿尔罕布拉宫为起点向外扩散，塞维利亚等地都深受其影响。

如今，西班牙有一种摩尔式花纹陶瓷，这种陶瓷表面刻有花纹且泛着红铜色的光。摩尔式花纹陶瓷的烧制技术源自伊朗、叙利亚和埃及的虹彩陶器（又被称作“红彩陶器”）。10世纪时，虹彩陶器的烧制技术传到了西班牙。之后，西班牙人在它的基础上发明了摩尔式花纹技术，这一技术从12世纪起沿用至今。除了摩尔式花纹陶瓷之外，西班牙南部的塞维利亚、科尔多瓦等地建筑上的瓷砖也非常吸引人，它们也是波斯建筑风格影响下的产物。波斯建筑和陶器的影响更是横跨大西洋，传到了墨西哥的普埃布拉等地，让人不禁感叹其影响范围之广。波斯文化源自中亚地区，并从阿富汗、印度和巴基斯坦等地分别向东西方向扩散。向西先是到了非洲，后从非洲传播到伊比利亚半岛，最后到达墨西哥。其中重要的一点是，这一路的干燥土层是波斯制陶技术得以长远传播的根本原因。

技术传播首先是物品的流通，其次才是工匠的迁移。陶器的基本原料陶土和釉药的传播方式与之相似。但让人惊奇的是，假如今天你到当地去参观，会发现那里的现代陶器无论是形状、色彩还是花纹都与过去的陶器极为相似。由此可见，当时的一些技术一直沿用至今。

在这里，顺带提一下意大利的彩陶，我们通常称其为“马略卡陶器”。马略卡岛位于地中海西部，隶属西班牙。有趣的是，虽然马略卡陶器得名于马略卡岛，但这里却不产陶器，之所以叫这个名字，是因为产自西班牙东海岸城市马尼塞斯和帕特尔纳的陶器要经由马略卡岛运往意大利。后来，所有在白色胎底上绘有花鸟纹图案的锡釉陶器都被称作“马略卡陶器”。

波斯的制陶技术通过西班牙传入意大利。从15世纪至16世纪初，意大利的佛罗伦萨、卡法吉沃罗等地的窑炉陆续开始烧制陶器。意大利人历来有在大理石、青铜器和石膏上雕刻的传统，他们不喜欢朴素的瓷砖和器皿，一定要在上面绘上人物像、花草或鸟兽像，而且陶器还必须是彩陶。在陶器上绘图案的技术随着文艺复兴运动一路北上，从法国北部传入荷兰、德国和奥地利等地。

中东的制陶技术经由巴尔干半岛传到欧洲，对欧洲的制陶技术产生了一定的影响。但是影响的范围仅限于东欧地区，而且种类单一，多是些拜占庭时代的绿陶、褐陶等单色陶器，和经由伊比利亚半岛传入意大利的制陶技术在欧洲的影响力没法比。

16世纪末至17世纪，中国的青花瓷畅销欧洲，欧洲人开始仿照中国瓷器烧制硬质瓷器。1709年，德国梅森镇的一位炼金术士成功烧制出欧洲第一件真正意义上的瓷器，这意味着欧洲的陶瓷终于迈出了陶器这一领域。

瓷器与“海上丝绸之路”

瓷器的烧制方式

过去，瓷器作为中国特有的产品被销往世界各地，以其精湛的烧制技艺为人们所津津乐道。在此，我先来介绍一下瓷器的烧制方法。

烧制瓷器需要两个必备条件：一是1300℃的高温；二是瓷土，即高岭土（在英语中被称作“Kaolin”）。

在中国，人们会观察红褐色或灰色山体的土层中是否有一层白色的土。景德镇周边的人们开采高岭土时就像挖矿山一样，会一直挖到地下很深处。由于天然的高岭土质地坚硬，所以又被称作瓷石。开采出的瓷石要先敲碎，再加水和成黏土状。和土时如果手劲不够，可用脚踩，从绘画史料上看，有时候甚至要用水牛踩。和好的黏土放到水槽内搅拌、过滤，只取颗粒精细的那部分，这就是所谓的水簸。过滤后的黏土还要经历一次揉搓。自古以来，景德镇就有用水碓舂碎瓷石的传统，看起来像舂米一样。如今，这一道工序由练泥机来操作。黏土的微粒越小，烧制时胎土的致密性就越好，现代陶瓷的微粒是极小的。

和土器、陶器一样，瓷器的拉坯成形也需要辘轳、雕形和手捏这三个步骤。明代中期的大瓮和大壶就是由一层层泥条盘筑而成的。先将坯土搓成长条，然后按器型从下向上盘筑成型，最后再用手将其捏薄修平，这种方法在日本被称为“胴系”（どうつなぎ），即泥条盘筑法。

各地采用的窑炉也大不相同，无论是龙窑，还是登窑（在中国也被称作“阶级窑”），都要耐1300℃的高温，精确来说，烧成温度要在1250℃～1350℃之间。

窑炉中的环境状况也极其重要，因为要烧制优质瓷器，坯体表面就不能像土器或陶器那样沾到灰。一般情况下，要先把坯体放到匣钵里（在某些地方会放到一种叫“圆五郎”*的耐高温圆柱形容器里），之后再将匣钵放进窑炉烧制。这些茶褐色的匣钵堆在一起后，外人根本看不出来里面是什么。一个阿拉伯人曾经误以为茶褐色的匣钵是铁匣，因此在游记中有把坯体放到了铁匣里进窑烧制的记载。

最近人们改用煤气窑、电窑、隧道窑等窑炉，不用再担心灰烬会落到坯体上，匣钵也不再是必需品，而窑炉的结构也焕然一新了。现在的窑炉已经能精准地控制温度，不用再像以前那样为了不浪费火力把整个窑炉塞满，比如用电窑的话，只需按照订单的实际数量烧制即可。这一改变充分体现了时代的进步。

像在日本这种空气湿度大的地区烧制瓷器时，坯体成形之后要先素烧一下，然后再绘上青花之类的花纹，如果陶瓷的颜色过

---

* 一般写成片假名的エンゴロ，汉字为“圆五郎”，词源应是中文的“圆护笼”。——译者注

深，还要在上面涂一层白色陶土后再次入窑烧制。但在中国，人们一般会等坯体自然晾干，然后再在上面绘各种花纹或者上釉彩，这样就省去了一道工序。

瓷坯胎土在烧制时会有熔融现象，釉药的伸缩性也各不相同，加上烧制时要严格控制窑温和瓷器的冷却时间，因此非常考验陶工的功力。由此可见，烧制瓷器的确是件精细的功夫活儿。

“海上丝绸之路”的发现

汉代时，骆驼商队驮着中国的丝绸，穿越中亚，到达罗马帝国境内。这条商路后来被称为“丝绸之路”。

近年来，人们似乎遗忘了瓷器曾是中国特有的。过去，在那些只会烧制土器和陶器的地区，人们在刚接触到这种硬质薄身、敲击声清脆的器物时，不禁好奇它是如何烧出来的，对瓷器的喜爱也油然而生。

中国瓷器在9世纪时已出口到世界各地。20世纪20年代，英国陶瓷学者拉斐尔发表文章，宣称在开罗郊外的福斯塔特发现了中国瓷器的碎片。后来，大英博物馆的中国古陶瓷学者R.L.霍布森和玻西瓦尔·大维德爵士对此专门进行了调查研究。中国瓷器在千年前竟跨越万里之遥来到了埃及，这一发现让世人震惊不已。

自此，曾一度被世人遗忘的中国瓷器的分布状况成了人们的研究对象。从那以后，在中东的多处历史遗址中均发现了中国瓷器的碎片。此外，伊斯坦布尔的托普卡帕宫收藏的12000多件中国

北宋－金

定窑 婴儿枕

台北故宫博物院藏

瓷器，以及伊朗的阿德比尔神庙内藏的近千件中国瓷器也逐渐为人所知。

然而，当我准备实地考察这些中国瓷器的时候，首先想到的便是运输路线的问题——这些瓷器是如何从中国千里迢迢被运到中东的呢？

一开始，我认为走的是“丝绸之路”，即通过骆驼商队运送。但是商队每天都要装卸货物，就算是骆驼也运不了多少。接着，我想到了海路，如果用船的话，一次就能运送很多件瓷器，包括体积较大的那些。

于是我开始着手研究中国瓷器的海上运输路线，在翻阅相关的文献资料后，我不禁为自己此前的无知而羞愧。无论是记载着希腊海员希帕罗斯借助印度洋季风航行的《厄立特里亚海航行记》，还是《一千零一夜》（又名《天方夜谭》），里面都有很多与海上贸易相关的故事。此外，还有根据马可·波罗口述写成的《马可·波罗游记》、伊本·白图泰的《伊本·白图泰游记》、15世纪时郑和七次下西洋的历史记载，以及大航海时代之后的各种文献。这些文献让我认识到原来海上贸易在那时就已经如此繁荣。

从1976年起，我开始了重走海上贸易路线之旅，途中在各地见到的瓷器碎片和藏品都反映了中国与该地的贸易往来，这表明过去中国的大量瓷器都是通过海路运输的。“丝绸之路”已经成为东西方之间贸易的代名词，榊原昭二先生曾在《朝日新闻》上发表文章认为，海上也有“丝绸之路”，后来还把我的研究项目称为

“海上丝绸之路”。承蒙先生赐名，在这之后，我以“海上丝绸之路”为主题出版了几本拙作。

文献中早有关于人们用船只运输丝绸、漆器、香料、茶叶、皮革制品和木材等货物的记载，因此“海上丝绸之路”的说法越发有据可依。但历经岁月的洗礼，很多货物已无迹可寻。幸运的是，我的研究对象陶瓷虽然成了碎片，但留存至今。随着NHK（日本广播协会）电视台《海上丝绸之路》节目的播出，这一说法逐渐被大众接受。

很少有人知道，台风过境的第二天清晨，世界各地的陶瓷研究者会急忙跑到海边，搜集那些被海浪卷上岸的陶瓷碎片。

在日本镰仓的材木座海岸、九州的坊津、石垣岛的名藏湾和川平湾，泰国曼谷北部的阿瑜陀耶，马来西亚的新山市，印度的本地治里和科钦，巴基斯坦的班普尔市，波斯湾的霍尔木兹海峡，红海沿岸的阿伊扎布和库赛尔，以及印度洋沿岸的摩加迪沙和蒙巴萨等地，都有发现中国瓷器的碎片。尽管发现的地点不同，专家们还是从这些碎片推断出了它们的生产地和烧制年代。其中包括9世纪中后期的越州青瓷，14世纪的龙泉青瓷，14—18世纪的景德镇白瓷、青花瓷和五彩瓷，以及13—14世纪的德化白瓷，当中以青花瓷居多。除此之外，还有少量瓷器碎片无法辨别信息。

为什么在海边能找到中国瓷器的碎片呢？原来，不管人们在装货时有多小心，只要船在海上摇摇晃晃地航行一段时间后，总会有一些瓷器碎裂，人们在经停港点货时，会把这些破碎的瓷器直接扔在岸边。不管文献上有没有记载，在某地发现碎片这件事本身就足以证明该地曾与中国有贸易往来，而瓷器碎片的数量和烧制时代则反映了该海港的兴衰。

最初，海上全是阿拉伯商人的货船，后来中国的帆船和欧洲的船队陆续加入。所有帆船的船底都要装载压舱的重物，一开始用的是石头，后来换成了中国瓷器，这样船靠岸后还能卖掉压舱的瓷器，从中大赚一笔，一举两得。在18世纪，那些往返于世界七大港之间的货船上几乎都载有中国瓷器。

这些瓷器碎片是在长达100米～150米的海岸线附近搜集而来的，足以证明该地曾是一个繁荣的国际贸易港。历史上，人们会在波斯湾的入海口把丝绸、陶瓷等商品从船上卸下来，然后由骆驼商队运到内陆地区。由此可见，波斯湾是“海上丝绸之路”和“陆上丝绸之路”的交会点。

风靡欧洲的中国瓷器

意大利画家贝尼尼和提香的画作中分别出现了中国明初时期的青花碗和青花盘。17世纪，美第奇家族试图仿照中国的青花瓷，烧造出自己的“美第奇式陶瓷”。中国瓷器先是被运到伊斯坦布尔或者开罗，再通过地中海到达意大利，它们在当地大受欢迎，一度成为奢侈品的代名词，这从上述两个例子中可见一斑。不过，这一时期运到欧洲的中国瓷器数量不多，所以还称不上“风靡”。

1602年，荷兰东印度公司在圣赫勒拿岛扣押了葡萄牙商船

"圣地亚哥"号；1603年，又在马六甲海峡截获了葡萄牙的另一艘商船"圣卡特琳娜"号。荷兰东印度公司将这两艘船上的中国瓷器运回了欧洲的米德尔堡、阿姆斯特丹等地进行拍卖，最终被法国国王亨利四世等王公贵族拍得。从此，荷兰东印度公司除了香料和丝绸贸易之外，又增加了一项瓷器贸易业务。

在这以后，很多人开始热衷于收藏中国瓷器，欧洲掀起了一股"中国风"的热潮。可是此时从中国进口的瓷器已经供不应求，于是欧洲各地开始尝试烧制中国风格的陶瓷，人们成功烧制出了仿青花陶器，但瓷器却未成功。

当时的波兰国王奥古斯都二世为了筹集军费，命令炼金师约翰·弗里德里希·伯特格尔炼金，但最终没有成功，遂命其去烧制瓷器。那时候的欧洲，烧制瓷器和探寻金矿一样重要。1709年，伯特格尔在今德国德累斯顿市的梅森镇成功烧制出欧洲的第一件瓷器。之后，据说他因拒不公开烧制方法而被杀害，年仅32岁，当然这不过是民间的传闻罢了。身为一名炼金师，他平时一定会接触到大量有毒气体和物质，这或许是其英年早逝的根本原因。

欧洲人掌握了瓷器的烧制技术，这打破了中国的技术垄断局面。不久后，梅森镇的一些陶瓷工匠作为该技术的先行者被引入维也纳、威尼斯、佛罗伦萨、哥本哈根和圣彼得堡等地，协助当地的瓷窑烧制瓷器。

法国的塞夫勒镇自1740年起一直是瓷器的生产要地。1768年，人们偶然间发现利摩日近郊的白色黏土竟然是瓷土，这才开始烧制真正的瓷器。实际上，在这之前，法国瓷器的胎质是半瓷胎性质的，法语中称为“法国陶瓷”，而这之后的瓷器则被称为“皇家陶瓷”。

英国人也非常喜爱陶瓷。17世纪，荷兰陶工开始在英国烧制陶器，此后陶器产业在英国蓬勃发展。斯坦福德郡是英国陶器产业的中心，出产各种陶器，其中虽有仿中国青花瓷的陶器，却没有真正的瓷器。此外，英国伦敦鲍氏瓷器厂烧制的骨瓷质量极高，时至今日依然为人们所喜爱，这种陶瓷其实是由英国人尝试烧制瓷器时无意间发现的一道工序演变而来的。烧制骨瓷时撒一些牛骨粉，这样陶瓷烧制时的伸缩性会增大，但是如果技术不过关的话，器皿在窑炉里就很容易开裂。不过，骨瓷还不是真正意义上的瓷器。1745年，人们在英国西南部的普利茅斯市发现了瓷土，后来英国国王乔治三世将该地生产的瓷器命名为“皇家伍斯特瓷器”。

总之，在“波斯风”陶器和地砖风靡一时之后，欧洲人又爱上了中国的青花瓷。在这股“中国风”的影响下，荷兰、意大利、法国、德国和英国等欧洲国家开始尝试烧制仿中国风格的瓷器，只可惜一直停留在陶器阶段。直到18世纪初，德国梅森镇的陶工成功烧制出欧洲第一件硬质瓷器，欧洲人这才掌握了瓷器的烧制技术。以上就是欧洲陶瓷发展的历史概况。

近年来，日本人的生活方式发生了翻天覆地的变化，榻榻米式的房屋数量锐减，就连传统的日式就餐方式（就餐时需要跪坐在低矮的小饭桌前）也几乎被摒弃了，取而代之的是西式的餐桌和椅子。

什么都追求西式的日本人，就连瓷器也要用欧洲的，如仿中国青花瓷风格的梅森瓷、皇家道尔顿瓷、皇家哥本哈根瓷、仿日本伊万里烧风格的皇家伍斯特瓷、奢华的明顿瓷、蓝底镶花的色塞夫勒瓷和色调柔和的基诺里瓷等陶瓷餐具。除此之外，价格高昂的套装茶具在日本也颇受欢迎。装饰艺术和新艺术运动这些世界性思潮对日本社会也产生了一定影响。的确，欧洲瓷器的独特形状、鲜艳的色彩和奢华的设计风格，都满足了日本人对欧洲的憧憬。

此外，日本人经茶道培养起来的传统陶瓷审美，在这一时期也发生了变化，比如原本应该是圆形的茶碗在窑炉中烧制时不小心倾斜了，人们却觉得其别有一番韵味；釉药在窑炉中偶然呈现出的别致色彩，被认为是茶碗独有的景色——日本人一直以来都是这种审美。现在人们都觉得整齐划一的东西更好，我对此却是百感交集。

* * * * * *

中国的陶瓷

卓越的技术

高岭土的故事

瓷器曾是中国特有的，除了中国之外，世界上其他国家和地区都烧制不出这种器物。中国瓷器质地坚硬，胎薄体轻，敲击时声音清脆响亮，而且在阳光的照射下，瓷器表面上的纹饰让人有一种如观蝉翼的错觉。相反，土器和陶器易碎且厚重，不仅渗水，敲击声也很闷钝。在那些只会烧制土器和陶器地区的人看来，瓷器是件非常神奇的器物。

这件神奇之物的原料是一种叫高岭土的瓷土，如果没有高岭土的话，中国可能也发展不出如此高超的陶瓷技术了。除了高岭土之外，中国的窑炉技术也领先于世界各国。当时，世界各地陶瓷的烧成温度一般在800℃左右，最高不超过1200℃，但中国早已掌握了1300℃的高温烧制技术。这两点使得中国陶瓷在很长一段时间内独领风骚。

高岭土是一种非金属矿物，由花岗岩和石英斑岩在风化作用下分解的白色微粒凝结而成，化学成分为$Al_2O_3 \cdot 2SiO_2 \cdot 2H_2O$。此外，高岭土还是一种耐火度较高的矿物，质纯的高岭土耐火度一般在1700℃左右，而掺杂了云母、长石和石英等物质的高岭土耐火度在1300℃左右。相较于窑温超过800℃就会开裂的伊朗陶土，高岭土实在是制作陶瓷无可挑剔的优质原料。

明崇祯十年（1637年），宋应星在《天工开物》一书中记载景德镇“从古及今为烧器地，然不产白土。土出婺源、祁门两山：一名高梁山，出粳米土，其性坚硬；一名开化山，出糯米土，其性粢软。两土和合，瓷器方成”。

白土即是瓷土。如今景德镇的中心城区已经没有瓷石可以开采，人们需要到附近的何家蓬，甚至安徽祁门等更远的地方寻找新矿源。在景德镇，你会发现街边的手推车上和河岸边的船上都装满了黏土砖。这些砖长约25厘米、宽约15厘米、高约17厘米，叫作“白不（dǔn）”，我推测应该是从其他地方运来的。“不（dǔn）”原指被削成长方体的柴薪，看来景德镇人很早之前就用这个词来代指被制成砖头状的白土了。

高梁山（有的著作中称其为“高岭山”）是瓷土的产地。“高岭土”的世界通用名“Kaolin”就是源自“高岭”二字的中文发音，由此可见，当地瓷土的质量之高。

不过，这些白土最初可不是真的“土”，而是凝结在地下的坚硬岩石，所以刚开采出来时也称作瓷石。古时候，开采瓷石全靠人力挖掘，现在这一工作已交由机器来操作。

虽说“两土和合，瓷器方成”，但瓷石和瓷土却是两种完全不同的东西，不具体指的是瓷石还是瓷土，目前学术界对此还有争议。我在景德镇考察时发现，人们在烧制碗碟、大型的壶或者高黏度的雕刻物时，所用的矿石配方也有细微的差别。

清康熙年间，法国天主教神父殷弘绪曾于1701—1707年到景德镇传教。[1]他把自己在景德镇的所见所闻以及瓷器的制作细节详细地写成报告，寄回了法国。日本的小林太市郎先生用候文体翻译了这份报告，并以《中国陶瓷见闻录》的译名出版，书中可见“Le Kaolin”一词，这应该是高岭土的最早欧译名了。

18世纪，人们在欧洲的梅森镇发现高岭土，法国和英国等地陆续开始烧制瓷器。在亚洲，朝鲜半岛、日本的九州和濑户地区也相继发现高岭土。一直以来，中国瓷器作为世界珍品的代名词，其根本原因就是原料只在中国被发现了。[2]

烧成温度与窑炉

中国陶瓷非常重视高温烧制。其中值得一提的是，中国华北地区的人们很早之前就开始用煤炭这种燃料来烧制陶瓷了。

前面我在介绍土器和陶器的时候已经讲过，印度尼西亚、墨西哥等地用甘蔗和玉米的秸秆作燃料。在中亚、印度和中东地区，人们会收集牛羊等家畜的粪便，烘干后使用。在植被稀少的草原和沙漠地区，动物粪便的确是最好的燃料，不过它们是否曾作为燃料用于野烧或窑烧，文献中没有记载。在中国的南方，人们会用松木这种高级木材作燃料，所以才能烧出如此美丽的青瓷。窑炉是用木材、畜粪还是煤炭作燃料，直接影响了它的传热方式。

在中国的华北地区，黄土层分布广泛，一直延伸至中亚地区。黄土层的斜坡和断层处很容易挖坑，这些坑就是穴窑的原型。此外，人们开始用煤作燃料，使得各地的窑炉都具备了陶瓷烧制的高温条件。建好了能够产生高热量的窑炉之后，人们自然而然就开始寻找耐高温的黏土，最终找到了高岭土。

如前所述，高岭土瓷器是在1300℃的高温中烧制而成的，景德镇无疑是最好的窑址选择地。中国幅员辽阔，除景德镇之外，在河北定窑和福建德化窑等窑口中也发现了高岭土。不过，河北磁州窑、河南汝窑、陕西耀州窑和浙江各窑口并不是都用高岭土做原料。仔细观察这些瓷器碎片就会发现，不是所有瓷器的胎土都泛白，如龙泉窑青瓷就呈灰色，我们称这种瓷器为“半瓷胎”。上文中提到高温窑炉要求人们寻找耐高温的黏土，最终人们找到了优质瓷土——高岭土。

中国烧制瓷器始于何时，一直以来都存有争议。人们普遍认为中国在六朝时就有瓷器了，但是早在殷商时代人们就已经掌握了人工上釉和高温烧制技术（或在1200℃的窑炉中烧制）。[3]我把用这种方法烧成的灰色炻器称为“原始瓷器”，将其归为瓷器类。

在这里，我想再次强调发现高岭土的契机始于人们使用煤炭等高热燃料，以及利用黄土层易挖这一自然优势建造高温窑炉，最后才是寻找耐高温的瓷土。

南北差异

打开中国窑址分布图就会发现，窑口的分布呈现鲜明的南北特色。

黄河在转向东北、流入渤海湾之前，流经了河南的洛阳、郑州和开封等地，这一段的黄河刚好是笔直的东西流向。这一地区的窑口有汝窑、钧窑、巩县（今巩义市）窑，以及偏北部的河北定窑和磁州窑。黄河流经陕西省境内，沿岸附近有耀州窑。中国北方地区知名的窑口基本都分布在这一带。

中国南方的窑口分布范围较广，比如长江沿岸的江苏宜兴窑，浙江的德清窑、余杭窑、南宋官窑、越州窑、龙泉窑，江西的景德镇窑和吉州窑，以及福建的松溪窑、建窑、德化窑和泉州窑。

中国的交通古有“南船北马”之称，南方的河川、湖泊和运河星罗棋布，水路贸易十分发达；北方的交通则以马匹为主，贸易也多走陆路。如今，中国的交通早已发生了翻天覆地的变化，有火车、汽车和飞机等交通工具。如果你在白天乘飞机自南向北飞，则可以看到中国南北两地迥然不同的风土。

西安、洛阳和北京等地是黄土层台地地貌，这片土层往西一直与中亚和中东相连，属于干旱地带。30年前，我还在土耳其和伊朗考察，直到12年前才有机会踏上中国的土地。刚到北京时，眼前是一片深黄色的景象，气候干燥不说，还有沙尘暴，我的第一感觉是这里简直和中东一样。后来我去了西安，以及更西边的撒马尔罕和布哈拉等地，感受到了“陆上丝绸之路”那段伴着驼铃声进行贸易和文化交流的历史。

从北京飞往上海的途中，我发现地表的颜色从深黄色逐渐变成了绿色。从上海飞往福州、南昌时，我发现这片区域的地貌多是山林地带。浙江和福建等地的窑口多以松柴作燃料这件事让我颇感兴趣。

尽管在平原地区能看到大江大河，但那几乎都是黄泥水，和日本人认知上的清澈河水大相径庭。另外，在日本人的认知里，翻山越岭做生意意味着要沿着山上的小溪一直走到山谷深处，在山谷平坦地带会有一个交易市镇。但在中国，这些交易市镇却是沿着山脊处的小路而建的。

人们普遍认为景德镇陶瓷沿长江出发，先运到上海，再南下卖给等候在泉州、广州等地的阿拉伯商人和欧洲船队。但是我的荷兰朋友范希顿告诉我，景德镇陶瓷还有另外一条贸易线路，即先沿长江而行，后转经京杭大运河再从浙江南下，在广东省的边界地再改用陆路运输，之后在广东省北江源头附近再转水路。[4]虽然没有亲自体验这条路线，但从飞机窗口往下看时，我认为这一地区的运输方式很可能是除陆路之外的其他形式。所以从陶瓷的发展轨迹上看，如果不了解南北两地的风土差异，研究结果很可能会有偏差。

例外的是，作为政治中心的首都。政治中心要求顶级的工艺品都集中在首都，西安、洛阳、开封、南京和杭州都曾是中国的政治文化中心，工匠们因此应朝廷的要求迁移。12世纪，南方的景德镇与北方的定窑几乎同时发明了成熟的印花技术。北方的汝官窑和南方的南宋官窑等窑口都是经由人为干预下的陶工迁移而发展起来的。中国因为有着高度发达的分工体系，所以陶工迁移十分容易，这也使得各领域的技术传播到全国各地。

河北的磁州窑和伊朗古波斯的内沙布尔窑在技术等方面有相

似之处。我认为，这种相似与其说是中国的南北差异，不如说是东西连绵的风土所致，毕竟两者都位于干旱地带。

中国陶瓷的基本概况

分工体系

要想了解中国陶瓷，首先要先弄清楚中国陶瓷业的分工体系。

越是大批量生产的行业，分工就越精细，这是自古以来恒定不变的道理。一说到制作陶瓷，日本人脑海中浮现的便是现代陶艺家们从练土、踩辘轳、上花纹、筑窑炉到点火烧制的画面。他们每个步骤都亲力亲为，即使收了徒弟也甚少抛头露面，对中国分工明确的陶瓷业更是一无所知。

中国陶瓷业则推行彻底的分工主义。那些负责练土的人一辈子都在搓泥，而负责踩辘轳的人则每天都在踩辘轳。这就是所谓的熟能生巧吧：即便闭上眼睛，造出来的成品也和平时差别不大。画师从早到晚反复画同一幅画，早已练就了一手行云流水般的绘画技能，如果要他们一笔一笔地画，纹饰看起来反倒生硬呆板了。烧窑的人要时刻留意火候，观察火焰的燃烧状况来推算炉内的温度。在那个没有测温计的年代，他们如同电脑般精准地控制火候、调节炉温，与火焰相伴一生。

各行业的学徒工学成之后专门从事本行业内的工作，相较于一个人包办所有环节的日本陶艺家，反而是不在意“创作者”这一虚名的中国陶工通过合作烧制出了大量优质瓷器。当然，陶工的迁移和优秀匠人集中于一处也是其成功的原因之一。

由于充分理解陶瓷业的分工体系有助于我们深入探讨中国的陶瓷工艺，这里特举例说明。据王宗沐编撰的《江西省大志》中记载，明嘉靖年间，景德镇陶瓷业的分工足足有23种。书中记载如下：

1. 大碗作。作头（职长）4人+陶工22人。
2. 碟作。作头2人+陶工16人。
3. 盘作。作头3人+陶工20人。
4. 印作。作头2人+职人16人。
5. 盅作。作头2人+工匠1人。
6. 酒盅作。工匠人数不详。
7. 锥龙作。作头4人+工匠11人，这个部门专门负责雕刻龙纹。
8. 写字作。只有5名作头，负责在器物上书写年号等。
9. 画作。负责绘画的大部门，作头4人+画工19人。
10. 匣作。负责制作阻挡窑内灰烬落到上边的匣钵，也是个大部门，作头3人+职人24人。
11. 泥水作。用水簸精练泥土，作头2人+职人

18人。

12. 色作。重要部门，负责上色，后来又加上了修筑窑场、打包货物的职责，作头3人+画工13人。
13. 大木作。作头4人+工匠35人。
14. 小木作。作头2人+工匠19人。
15. 船木作。作头2人+工匠13人。
16. 铁作。作头3人+工匠30人。
17. 竹作。作头1人+工匠9人。
18. 漆作。作头1人+工匠3人。
19. 索作。负责制作绳索，作头1人+工匠8人。
20. 桶作。制作运输用的桶，作头1人+工匠8人。
21. 染作。作头1人。
22. 东碓作。（碓，粉碎原料瓷土的作坊。）
23. 西碓作。

上述23组分工是官窑陶瓷团队的整体构成，总人数386人。

宫廷御用的官窑

只要说到中国的陶瓷制造，就绕不开官窑。在这里，官窑可以说是高品质、多款式陶瓷的代名词。

“官窑”一词源于何时不详。最初官窑不仅要烧造宫廷的御用品，连建造宫殿的砖瓦也要负责，不过那时候的官窑还不能保证烧出的所有器物都是高品质的。宋代时，朝廷设置了专属的御用窑口，定窑、越窑（也称秘色窑）和汝窑陆续开始烧制宫廷用品。北宋都城汴京（今开封）和南宋都城临安（今杭州）这两地的官窑由于拥有优质的瓷土和技艺高超的陶工，烧出了非常多的高品质青瓷。

北宋景德年间（1004—1007年），朝廷下令江西的饶州窑负责烧制宫廷用品。自此，饶州窑更名为景德镇窑。后来，元、明、清三朝中央政府都把官窑设在了景德镇，此处出产的瓷器享誉世界，代表了中国瓷器的最高水平。[5]

元代的宫廷御用瓷上刻有“枢府”二字，一开始这些高级陶瓷是由民窑烧制的，所谓“有命则供，否则止税课而已”。清代景德镇人氏蓝浦著的《景德镇陶录》中也有相关记载。由此可见，元代官窑与民窑的职能分工还没有明代那么严格，尽管验货的流程一样：所贡者千中选十,百中选一。

在明宣德年间，即15世纪初之后，官窑开始在烧制的陶瓷底部画两个同心圆，里面写上烧制时的年号，如“大明宣德年制”“大明成化年制”。这种同心圆加年号的陶瓷都是官窑制品，仅限宫廷使用，不得流入民间，更不能带到国外。这种陶瓷自然也是景德镇出品的瓷器中最高级的。

明嘉靖年间，景德镇有58座窑炉，当中有30余座窑炉负责烧制瓮和缸，其他还有负责烧制青花瓷的青窑，负责烧制五彩瓷的

宋

官窑 青瓷贯耳壶

台北故宫博物院藏

锦窑，等等。在官窑工作的沙土夫、上工夫等杂工共557人，加上上文中提到的分工体系内的386人，有近千人服务于宫廷御用瓷的烧制。

嘉靖八年（1529年），朝廷下达官窑烧造的订单量为2570件。嘉靖十年（1531年）时，订单数超过1万件。嘉靖二十三年（1544年）时超过了7万件，嘉靖三十三年（1554年）时则达到了11万件。隆庆五年（1571年）时，订单数为12万件。万历五年（1577年）时，则高达15万件。从中可见订单量增长的速度之快。

官窑督陶官最初由朝廷委派的宦官担任，后来由于这些宦官欺上瞒下、作奸犯科，改由饶州府的地方官轮流兼任。督陶官一开始是无偿差事，后来为了满足朝廷的需求，官窑的制度和生产模式变得繁杂起来，无偿差事变成了有偿。其间还征用大量民窑来烧制官窑来不及烧制的订单，这就是所谓的“官搭民烧”制度。这一制度不仅没有促进景德镇的繁荣，反而加重了民众的负担。我们从下面的一组数据中可以了解到当时的情况。

万历十一年（1583年），王敬民上书请求朝廷减少非急需陶瓷的订单。万历十六年（1588年），朝廷下令烧制方筋屏风，结果烧制不成，“窑变而为床，又变为船，其中什物，无一不具”。万历二十七年（1599年），宦官潘相监理景德镇官窑烧造大龙缸（龙纹大缸），久烧不成。随着烧造期限的临近，潘相变本加厉地残害陶工。陶工童宾非常愤慨，纵身跳入窑炉，以示抗议。童宾之死激起了民愤，陶工们群起烧毁了官窑的厂房。此举吓坏了潘相，为了逃避责任，他给一个叫陈奇可的人定了罪，并将其处死，以平息众怒。15—17世纪，瓷器烧制的质量稳步提升，但这背后蕴含了数不清的血泪事件。

1644年，清军攻入北京。明清政权交替期间，社会动荡不安，景德镇的发展也随之凋敝。欧洲学术界把明泰昌元年（1620年）至清康熙十九年（1680年）的这段时间称为“转型期”。

清代的官窑始于康熙十九年，当时朝廷派遣督陶官进驻景德镇。景德镇再次接到宫廷御用瓷订单，技术不断改进，烧制出一批又一批的高质量瓷器。

明清两代官窑的不同之处在于，明代官窑取得的是技术层面上的进步，清朝官窑则是推动了整个陶瓷业的发展，督陶官在其中发挥了不可替代的作用。从职责范围上看，督陶官像协调员一样因地制宜地安排生产，起到了监制的作用。

官窑烧制出的瓷器一般会在上面刻上诸如“大清康熙年制”“大清乾隆年制”之类的年号。但在景德镇，一般会用“某窑”来统称官窑烧出的瓷器，“某”则是当时督陶官的姓氏，如下所示：

李廷禧——康熙十九年（1680年），朝廷分拨费重开景德镇御窑厂，任命李廷禧为督陶官。

臧应选——康熙二十二年（1683年），臧应选任督陶官，他本人熟知陶瓷制造的各种新技术。茶叶末釉（日本人称其为荞麦釉），以及吹红、吹青技术都是他在任期间发明的。这一时期烧制的陶瓷统称为“臧窑”。

郎廷极——康熙四十四年（1705年）至康熙四十八年（1709年），郎廷极任督陶官，致力于研发新釉药，尝试合成宝石红、祭红、桃花红和苹果绿等不稳定的系釉色。这一时期的瓷器统称为“郎窑”。

年希尧——雍正年间（1723—1735年），任景德镇官窑督陶官兼淮安板税关监督。这段时间的瓷器多为仿古瓷和仿古青瓷，称为“年窑”，但在日本常常被误写成“宁窑”。

唐英——自雍正六年（1728年）起，唐英在年希尧手下当了八年助手，其间被朝廷召回一段时间。乾隆八年（1743年），其以督陶官的身份再次来到景德镇。之后，唐英致力于发展官窑，开发新技术。在他的领导下，景德镇官窑用上了新釉，烧制出了仿古瓷和西洋风瓷器。

可以说唐英开启了清代景德镇瓷业的黄金时期，这一时期烧制的瓷器统称为“唐窑”。他还编撰出版了景德镇陶瓷工艺图版《陶冶图说》二十则，是一位名垂千古的督陶官。

造访景德镇

但凡对中国陶瓷感兴趣的人肯定都听过景德镇，海外的那些高品质瓷器也多产自中国景德镇。在历史的长河中，广袤的中国大地上存在过多个陶瓷生产地，但唯有景德镇至今仍在烧制瓷器。景德镇瓷器不仅面向中国国内市场，还远销世界各地。

自我对瓷器产生兴趣以来，就一直心心念念地想去一次景德镇。现在市面上有很多介绍景德镇历史和瓷器的书，写得都非常详细，我在这里就不再做过多介绍，而是更想分享一下我的景德镇之行。

我从1963年起开始了自己的海外之行，那时候出国不像现在这么容易。我第一次去中国是1975年12月，可惜的是，当时没能去景德镇。后来在1983年秋，我终于如愿去了景德镇。在我这么多年的“中国瓷器追寻之旅”中，景德镇本该是第一站。所以对我而言，能到景德镇实在是一件值得开心的事。

有趣的是，景德镇的样子和我想象中的完全不同。我原以为到了景德镇之后，可以深化自己以前在书本上了解到的景德镇历史，至少能形成一个体系，结果却更混乱了。借此机会，我想在这里梳理一下。

一、景德镇位于昌江边，我原以为它是一座古色古香的小镇，结果看到的却是一个近代化的工业城市。

二、景德镇周边有不少古窑遗址，比如湖田窑和南市街里的宋、元、明三代的古窑，我花了三天时间走马观花地看了一遍。受限于我的签证时间，只能到此一游式地观看了。

三、我在参观日本或其他地方的古窑遗址时会捡一些陶瓷碎片回去，这样我就能对该古窑过去独有的生产工艺有所了解了。一般情况下，我会事先查阅相关的文献，从整体上把握每个古窑的风格特点，拿到碎片后，实物和理论完美重合——原来陶瓷是这样烧出来的啊。但到了景德镇，不知道是不是因为自己接触了太多景德镇瓷器，致使我对景德镇有了一些不切实际的期待，反倒没了像参观其他古窑时的那种充实感。

四、珠山是我最期待的地方，因为那里是多朝官窑的所在地，许多窑址现在还深埋在地下。景德镇陶瓷考古研究所曾对一座明宣德年间的古窑遗址进行考古挖掘，可是包含周边地区在内，整个景德镇的窑址考古并没有取得多大进展。古窑遗址分布广、数量多，首要任务还是保护好它们，所以不能过分挖掘。正因如此，人们到现在都不知道烧制五彩瓷的锦窑在哪儿。

五、我之前认为景德镇烧制的全都是高级瓷器，而海外看到的那些劣质瓷是别处的窑厂烧制的。但我参观湖田窑的遗址时，看到了一些烧制于15世纪末的陶瓷碎片，这些碎片的颜色非常难看，花纹、图案运笔粗劣。我心中景德镇“陶瓷圣地”的形象一下子就破灭了，原来景德镇也烧出过这等劣质品。这让我对它有了一个新的认识。

六、景德镇南郊有个叫“古窑瓷厂”的地方，听说那里的陶瓷制作还沿用着古法，从练土、踩辘轳、上色到烧制都跟以前一样。那场景和《天工开物》《中国陶瓷见闻录》中记载的一样。

七、景德镇的一位老板很自豪地带我参观了他们的现代制陶技术。的确，绘画非常细致，坯体脱胎后，器身非常轻薄，他们甚至还能做出如象牙雕刻那般精细的镂空龙船。尽管这些在技术层面上都无可挑剔，但却毫无艺术性可言。

如今，景德镇是一个充满活力的城市，热闹非凡，陶瓷制造业发达，“瓷都”这一称号名副其实。陶瓷的品质从高到低，一应俱全，甚至还有一些猎奇的恶趣味陶瓷。如果说官窑烧制的高级陶瓷是景德镇的“表面技艺”，那么生产诸如色调艳丽的布袋和尚雕像以及日常器皿等外销瓷则是景德镇的“里面技艺”。

我认为，景德镇至今依然有内外两副不同的面孔。

世界珍品

贸易瓷

中国的瓷器、丝绸和漆器都是享誉世界的珍品，同时也是中国特有的珍宝。9世纪中叶，中国瓷器已经出口到埃及，并由此销往世界各地。我的研究结果表明，瓷器的运输主要靠海路。

近年来，日本学术界把焦点放在了“贸易瓷”上，并于1979年成立了贸易瓷学会。该学会在每年的秋季举行学术会议，还发行了自己的刊物。以三上次男先生为代表的日本陶瓷考古学界，早在半个世纪前就把目光放到了日本之外。随着中国瓷器碎片的出土，日本学术界意识到了成立一个专门的研究学会进行综合研究的必要。该学会从历史文物的视角研究陶瓷，这与过去的茶道陶瓷鉴赏完全不同。

早在300年前，西方人就开始用“外销瓷”“贸易瓷”等名称代指中国瓷器。虽然这些瓷器产自中国，但销售对象却不是中国国内的民众，而是外国人。

中国生产的瓷器有两种：一种是供国内民众（上至皇家贵族，下至平民百姓）使用的内销瓷；另一种是在中国国内几乎看不到，主要销往国外的外销瓷。

最初，仅有中国人使用瓷器。9世纪中叶，阿拉伯商人见到了中国瓷器，他们对这种器物深感惊奇，于是开始大量收购，之后转卖到那些只会烧制土器或陶器的地区。自此，中国的瓷器贸易便开始了。

后来，阿拉伯商人觉得与其在已有的中国瓷器中挑选那些外国人可能会喜欢的品种，不如直接向中国人下订单，烧制专供外国人使用的瓷器，这样的话，利润也会更高。在这里不得不说，阿拉伯商人能想到这个方法实在是太聪明了，而爽快接受订单的中国人的眼界同样也很开阔。这就是“贸易瓷”的由来。

贸易瓷具备以下几个特点：一、买方所在地无法烧制出的硬质陶瓷；二、形状和颜色在买方所在地日常用的器皿中不常见，有一种异域风；三、买方所在地烧制不出的高品质，因而当地人视其为珍品。

出口的中国瓷器中有不少是中国的王公贵族用过的官窑瓷器，还有墓葬中出土的古代陶瓷，目前，其中的大多数被国外的博物馆或者私人收藏。这些陶瓷不属于贸易瓷的范畴，用现代的话说，它们是国外的特别定制品。

销往海外的中国瓷器，数量庞大，无法统计出具体的数字。我参观过很多国家的中国瓷器藏馆，去过很多个国家采集样本，粗算一下有五十多个国家。我刚进入这个领域时，根本想不到中国瓷器在全世界的分布如此广阔，历史如此久远。之后，通过对中国贸易瓷的分布和种类变化的研究，我慢慢了解到其反映出的世界贸易史、经济史及美术史的嬗变。

需求定制

我在伊斯坦布尔做调研时发现，当地有很多中国产的贸易瓷，其中缸、坛和大盘子的数量最多，其次是钵，碗最少。此外，还有一些水壶、军持（一种瓶状盛水陶瓷）和仙盏瓶，以及少许梅瓶。在德黑兰时，我在阿德比尔神庙的藏品中也看到了类似的器物。在印度德里的图格鲁克王宫遗址，我看到的全是大盘子和钵。

在印度尼西亚时，我同样看到了很多大盘子、少量碗和钵，还有很多元代的小件陶瓷随葬品和壶，当中尤以四耳壶居多。

这些瓷器的分布状况和种类，需要投入更多的人力、物力和财力才能调查出具体的结果，目前我们掌握的只有各地区的分布概况。

在日本中世遗迹出土的文物和日本传世文物中很少能看到大型的陶瓷器皿，这反映出日本传统的生活方式与中东那种石筑大宫殿的模式完全不同。中东和印度流传下来的古代细密画（miniature）常以宴席为主题，画面中央有一张大桌子，桌上放着一个大盘子，盘子里盛放着各种各样的食物。在气候干燥的地区，水果是稀有品，人们认为只有它们才能配得上中国的青花钵和青花盘。这与日本人吃饭时必须用漆碗，只有小碟用中国瓷器的做法大相径庭。

换言之，日本人并不认为所有的中国瓷器都好，而是根据实际的生活需求使用不同的器皿，只有在需要的时候才会向中国下订单。中国人对海外订单的不同处理方式反映了其海纳百川的博大胸怀。

日本和歌山市根来寺出土的白瓷小碟呈菱形，四周较为圆润，被称为“瓜型皿”。底部刻有“天文年制”的字样，由于“天文”是日本的年号，所以有学者认为它是日本本土烧制的瓷器。不过，主流观点却认为它是贸易瓷，上面的文字是中国陶工应日本的订单要求所刻。

元代的青花瓷也是贸易瓷，是阿拉伯商人定制的，专门销往伊斯兰世界的瓷器。16世纪，景德镇开始烧制开光青花瓷，这种瓷器在日本被称为“芙蓉手染付”，欧洲人称其为“克拉克瓷”。一开始，开光青花瓷也是阿拉伯商人下的订单，后来慢慢成了贸易瓷，开始销往欧洲地区。具体内容我将在青花瓷一章中再述。

9—16世纪，瓷器贸易几乎被阿拉伯商人垄断了。16世纪之后，进入大航海时代，贸易模式发生了变化——首先是葡萄牙，其次是荷兰，最后英国、法国、瑞典和美国等国陆续向中国下订单，中国则照单全收。

中国的灵活性不单单在于出口特产或一些有异域风的器皿，更让人震惊的是，中国陶瓷业贸易部门的成熟。这不由得让人感叹：“这真的只有中国才能做到啊！”

19世纪，清道光年间的瓷器常常出现在欧洲蚀刻版画的人物画或风景画中，通常作为欧式风格的食器而存在。这些瓷器的造型看起来像是欧洲自产的，但实际上均产自中国。欧洲很多地方没有把炉子直接放到餐桌上煮食的习惯，人们一般会先在厨房里把菜做好，然后装到带盖容器里，最后再将其放到餐桌上供大家取食。这种带盖容器称为“汤盆”，也是中国烧造的。

像荷兰东印度公司这样的欧洲客户，在向中国定制汤盆、茶壶、茶叶盒、吊球和盐碟等陶瓷器物时，除了提供设计图之外，还会用木头做一个同等比例的样品供参考。

宋—元

龙泉窑 青瓷撇口盏

台北故宫博物院藏

劣质的贸易瓷

中国出口瓷器已经是一项公认的贸易行为了。可是，当被问到这些贸易瓷是否都是高品质的时候，我的答案是“不一定”。

我一直痴迷于中国陶瓷的质优物美，可是当我去到海外，接触到各种事物，甚至还到中国进行了实地考察之后，却看到大量无论是颜色还是形状都粗制滥造的劣质品。这让我非常震惊——这真的是我喜欢的高级陶瓷的同类吗?

贸易瓷首先要考虑的是适用于多个国家的日常生活这一功能，同时还要符合那些国家的审美。不过话说回来，对于不识货的人来说，质量好坏倒也没什么影响，只要那些瓷器比他们自制的土器、陶器坚硬一些，或者多一些他们不熟悉的形状和颜色就够了。“无商不奸”的这一定律看来自古就适用。

1981年，我结识了一个古董商，他在印度尼西亚爪哇岛的图班港附近发现了一艘沉船，从中打捞出近400件青瓷、白瓷、青花瓷以及其他品种的瓷器。我在调查后发现，这批瓷器与12年前在韩国木浦新安海域发现的瓷器极其相似。在新安海域的瓷器中还发现了一批木简，上面的年号换算成公元纪年是1323年。由此推测，两艘船的沉船时间都在14世纪初。

同行森岗成好和北村悟告诉我，这批瓷器中还有一些褐色的瓷碗，看上去像是糊了一层泥，其实那是青瓷的生烧。我当时不明白，像这种粗劣品是如何混在优质青瓷中被运到遥远的印度尼西亚的呢？后来我在阿里・阿克巴尔的《中国纪行》（*Khatay-nameh*）中看到了如下记载：“中国陶瓷界有个不成文的规定——买家要在开窑之前把里面的成品全部买下来。如果里面有残缺品的话，买家就吃了大亏。”原来买家在买瓷器的时候，要连同这种生烧青瓷一起买入，所以他们在买到残次品之后，又转手将其卖给了那些不识货的人。

在这批陶瓷中还发现了一些盘子和钵，它们和景德镇瓷器很像，但是胎土要差一些，形状也不规则，底足与桌面接触的那部分甚至还有沙子。尽管它们的花纹与景德镇瓷器相似，但还是能看出些许差别。这批盘子和钵产自福建漳州附近的石码窑。随着我对福建沿海地区古窑遗址调查的不断深入，我发现泉州和福州周边有不少专门生产这类劣质贸易瓷的地方，这种劣质瓷在印度尼西亚等地均有发现。

在中国的历史上，当中央政府的力量衰弱时，常常会颁布海禁令，禁止进行海外贸易，同时缩减外国商人可以进入的港口数量，总之，千方百计地限制海外贸易。然而，即便是在禁止贸易的时期，青花瓷等瓷器依然是重要的出口物。过去，中国陶瓷史研究的全是优质瓷，近年来则渐渐开始关注起这些劣质瓷。

下一个问题是日本的倭寇，琉球人，浙江、福建和广东沿海地区的中国人，阿拉伯商人以及后来的葡萄牙、西班牙、荷兰等欧洲国家的船队是如何开展贸易活动的。

1522年，葡萄牙人进入广东，后被明朝政府驱逐出境，直到

1557年才获得澳门的开港许可。那么葡萄牙人在这35年间做了些什么呢？答案是走私。

我通过这些瓷器碎片推断出了中国瓷器的分布状况。作为一个陶瓷研究者，我在脑子里想象了很多当时的走私场景，可惜的是，有关走私贸易的文献记载很少，只能通过碎片一点点地还原。

我原以为中国是一个专门生产优质瓷的国家，结果这里不仅生产世界上最高品质的瓷器，还生产粗劣品甚至生烧。在荷兰东印度公司的“巴达维亚”号留下的报告书中可以看到：“在我们拿到的货物中有一些粗劣品，所以我们只能挑选品相好的运回国。”我看到的劣质瓷很有可能就是报告中说的那些。

* * * * * *

青瓷：对玉石的憧憬

青瓷的历史

中国瓷器的代表

在中国三千年的陶瓷发展史中，最受人喜欢的当数青瓷。

青瓷以13世纪时宋青瓷的品质最佳。宋代之前，从最初的褐色瓷到粉青色瓷，技术发展足足用了一千年的时间；宋代之后，人们烧制出各种各样的青瓷，但没有一样能超过宋青瓷。

青瓷的釉色有种温润感，青绿中带点白，估计也只有中国人才能辨别其中的细微差别，分别取了“秘色”“翡色”“天青”“天蓝”“粉青”“月白”“葱青”等名称。尽管颜色上有细微差异，但共同的特点是，青瓷的釉药质感是半透明且带些许厚度，这种质感即使在中国都是稀有的。随着技术的不断发展，人们掌握了在瓶、钵、碗、香炉、壶等器物上施加单刃雕刻纹、浮雕纹和印刻纹等纹饰的技术，没有纹饰的则被称作“素纹”。青瓷的造型端庄浑朴，不会给人清冷的感觉，这要归功于那层如玉石般的釉药。

瓷器釉药的种类有很多，青瓷釉是其中最特殊的一种。想象一下，一颗颗玉石般、大小形似栗子的东西，颜色要比栗子深一些。一颗颗“栗子”反射出的光透过茶室的障子纸，呈现出淡绿色。晴天、雨天，甚至在灯光下都能隐隐约约看到颜色有一丝微妙的不同。这种釉可以说是青瓷独有的。即使青瓷上没有雕刻纹饰，其端庄浑朴的形态依然能胜过其他瓷器，尤其是五彩瓷。

无论是官窑青瓷还是龙泉窑青瓷，瓷器开口连着瓶颈的部分

北宋
汝窑 青瓷纸槌瓶
台北故宫博物院藏

会稍稍凹向内侧，从横截面上看，就像是线条从瓶颈向外发散，最后一口气立起来的样子。说实话，中国的花瓶和壶的形状是全世界最严肃的，不过其中最能代表中国瓷器形态美的，我认为还是青瓷。

可能我的用词有些夸张，但青瓷的美是不能抱着赏玩的心态去欣赏的，必须保持严肃认真的态度。这恰恰也是青瓷的魅力所在。

说起中国瓷器，当中可能青花瓷的知名度最高，现在我有了更多的机会去考察青花瓷，但只有青瓷能吸引我把它拿在手上细细品味。我认识好几位中国陶瓷研究者和陶瓷收藏家，和他们讨论陶瓷的时候，不管开头是什么，最终一定会回到青瓷的话题上。与他们交谈之后，我感受到了他们对青瓷的研究有多么透彻。

不只是中国人，日本人也非常喜爱青瓷。在翻阅室町时代的《君台观左右帐记》（1476年）、江户时代的《万宝全书》（1672年）和《古今名物类聚》（1797年）时，我们会发现日本的古人视中国青瓷为最高格调的瓷器。日本的平户、京都及神户附近的三田等地都烧制过青瓷。回溯历史可以发现，10世纪，朝鲜半岛的陶工烧制出“高丽青瓷”，当中优等品的釉色甚至超过了中国；14世纪，越南的陶工也掌握了青瓷烧制技术，烧出的青瓷通称“安南青瓷”。由此可见，以中国人为代表的东方人对青瓷有种不同寻常的热爱。

三个传说

在谈及中国青瓷时，我一定会讲下面这三个故事。

一、青瓷是用翡翠磨成的粉烧成的，所以才会这么贵；

二、某天雨后初晴，皇帝以“雨过天青”来形容青瓷的颜色，遂得名“青瓷”；

三、在中东传说中，有个叫Celadon的骆驼商队队长带回来的东方货物中每次都会有青绿色的中国瓷器，于是人们就用他的名字来称呼青瓷了。

虽然这三个故事都是杜撰的，但却很好地反映了青瓷到底是个怎样的器物。

先来看第一个故事，翡翠的粉末加热后呈白色，无法用作青瓷的釉药。但这反映出青瓷与中国古人喜欢的玉石非常相似，而烧制青瓷就如同人工制玉。在商代的墓葬品中发现了玉佩，可见中国人对玉石的喜爱被视作一种信仰。人们认为玉有九德，当人佩戴玉器的时候能把玉的德行转移到自己身上，而玉石中最高级的当数翡翠，于是他们想象以翡翠作为青瓷的釉药原料。中国人烧制青瓷，背后隐含着人工制玉的渴望，因此便有了这个传说。

有趣的是，当我们把玉石和青瓷釉放到显微镜下观察时，会发现它们的表面都有一层气泡，看起来像细胞一样。一个个气泡反射着自然光，同时配合釉药自身的颜色，透过胎土的些许灰色，使器皿的两侧呈现出一道独特的色彩。这些气泡不断重叠，给人一种厚重的错觉——实际上，器皿上的釉药厚度只有一毫米左右。这就是青瓷的玉石质感之谜。与用薄薄一层透明釉给白色胎土抛光的白瓷以及整体呈黑褐色的天目釉不同，玉石质感是优质青瓷独有的特征。

接下来是“雨过天青”的故事。据说，它发生在五代时期（907—960年），后周世宗柴荣御批柴窑瓷器“雨过天青云破处，这般颜色做将来”。这仅是传说而已，因为10世纪时根本烧不出天青色的青瓷。

柴窑到底是什么窑？由于不清楚准确的窑址所在，所以目前还不清楚它到底是什么性质的窑厂。可知的是，当时的吴越王钱氏曾诏令秘色窑烧制青瓷，所以或许柴窑就是官窑的雏形。

北方的窑炉主要烧煤，火焰较短，还原反应不完全，烧出来的瓷器呈绿褐色；南方的青瓷窑用松柴做燃料，火焰较长，能把釉药中的少量铁元素烧成美丽的粉青色。

这里要介绍窑炉的一个基本常识，即窑炉可烧制的瓷器颜色有限，到了一定程度就无法再进一步了。例如，南方的龙泉窑青瓷因为还原不完全而呈茶褐色，而烧坏了的青瓷的颜色则像沾了一层米糠一样，遂得名“米色青瓷”。此外，浙江省到福建省沿途的那些用松柴作燃料的青瓷窑，烧出的青瓷由粉青色逐渐变成了绿色，颜色非常不稳定。

“雨过天青”的故事告诉我们青瓷的颜色以哪一种最优。青瓷的颜色有很多种——褐色、草绿色、葱青色、粉青色、橄榄绿色、茶褐色、米色、青绿色……这么多颜色实在让人无法抉择，所以就干脆选青色最浓的那种。在日本，天青色的青瓷被称为“砧青瓷”。这个名称的由来有很多种说法，比较流行的是东山慈招院有一个色泽极佳的青瓷花瓶，这个花瓶形似捣衣砧，于是日本人以此为优质青瓷的参照标准，遂命名为“砧青瓷”。

最后是青瓷的外文名Celadon的故事，这个故事也不见得是真的。1487年，开罗的哈里发萨拉丁向意大利的洛伦佐·美第奇赠送了中国青瓷。据说，“萨拉丁”这个名字是“Celadon”的音讹。另一种观点认为“Celadon”一词出自法国演员霍尔诺·德尔菲出演的一部剧，剧中的牧羊人就叫Celadon，他身穿淡绿色的衣服。直到今天，伊斯坦布尔托普卡帕宫的讲解员还会向游客如此描述：“诸位，这是来自中国的青瓷，假如把有毒的酒或者食物放到里面，青瓷就会变色。苏丹害怕被刺客下毒，从中国进口了大量瓷质食器。”

总之，中东地区的人们十分喜爱青瓷，考古发掘了约3000件青瓷，比如青瓷大碟、带盖的青瓷壶、青瓷尊、葫芦瓶等。

呈褐色的初期青瓷

20世纪初，河南安阳殷墟的考古发掘如火如荼地进行着。彼时中国的盗墓贼十分猖獗，为了保护考古队专家的人身安全，政府甚至调动了军队驻扎在当地。尽管如此，实际的地下挖掘工作还是得靠工人，如果真挖到了有价值的文物，很难保证工人们不会偷偷藏到别处，待到深夜时再翻出来卖给古董商。中国的很多珍贵文物就是这样流入世界各地古董商手里的。

殷墟出土了一片直径5厘米长的上釉陶瓷碎片，这在当时引起了争议：它到底是人工上釉，还是自然成釉？20世纪60年代，在比安阳殷墟更古老的郑州二里岗殷商遗址中挖出了高约30厘米的大开口灰釉陶壶，壶上的釉明显是人工施加的。此后，中国又陆续出土了一些带釉壶。

由此可见，商、周、春秋、战国等时期的中国古人已经掌握上釉技术，能用1200℃的高温烧制器物了。这些釉药中包括含有铁元素的早期青瓷。不过，早期青瓷的颜色并不是我们想象中的粉青色，而是褐色，质地也比较粗糙，看起来更像青铜器，让人不禁好奇当时的人为什么会把它们视作青瓷。

六朝时期，青瓷技术较汉代更先进了一些。关于六朝青瓷的学术研究始于1935年，当时中国政府在浙江省绍兴附近的保俶塔进行道路施工，结果挖出了一件青瓷壶。这件青瓷壶上部呈屋形，壶身有鸟和其他动物的图案纹饰，底部刻有“永安三年”（260年）的字样。此后，在长江沿岸的浙江和江苏等地都发现了大量青瓷。这些青瓷大多是南朝时期的器物，釉色透明，呈淡淡的茶绿色，还带点黄。它们釉质浓厚，所用原料是优质黏土，这表明当时的陶瓷烧制技术已经非常成熟了。当窑炉中的还原反应达到一定程度时，还能烧出泛蓝色的青瓷。

这些泛蓝色的青瓷的主要产地是越州，故得名“越州青瓷”。

在中国古代，人们用“越”这个字来指代江南地区。从青瓷生产地来看，几乎所有的青瓷都产自江南，如江苏宜兴，浙江绍兴、德清和余姚等地。

9世纪时，越州青瓷就已经走出了中国的国门，目前在日本的九州和京都伏见、菲律宾宿务岛附近的小岛、印度尼西亚，甚至开罗郊外的福斯塔特都有发现。因此，可以说中国陶瓷风靡世界以青瓷为始。

除了长江沿岸，在河北省和河南省的6世纪墓葬中也发现了早期青瓷。通过化学分析显示，北方陶瓷含有更多的氧化铝和氧化钛，更精确的产地测定还需要继续深入调查。

草绿色的北青瓷，粉青色的南青瓷

中国华北地区的青瓷是在甲窑（所谓的“圆窑”或者“馒头窑”）中烧成的。甲窑以煤炭为燃料，烧成室只有一个，烧出来的青瓷呈草绿色。与之相对的南方龙窑，烧成室向斜上方延伸，以松柴为燃料，烧出来的青瓷颜色更重。这便是南北青瓷的根本差异。

中国陶工把槁木灰、高粱和豆灰混在一起制成了半透明的白浊釉，这一技法始于何时我们不得而知。目前已知的是，早在宋代，河南禹州钧窑的陶工就已经尝试在北系青瓷釉中加入上述灰烬调制粉青色了。中国人所谓的月白青瓷就产自钧窑。钧窑瓷中有一种带橙红色斑纹的瓷器，这种颜色的瓷器很少见，它和鸡血石的颜色有几分相似。

饲田万太郎曾受大谷光瑞之邀考察了钧窑。考察结果显示，北青瓷的典型代表是在青瓷釉下以印花或雕刻等方式雕出的牡丹花纹碗，这种瓷器是由汝窑附近的窑口烧出来的。宋代著作《坦斋笔衡》中记载："（本朝）命汝州造青窑器，故河北、唐、邓、耀州悉有之，汝窑为魁。"文中提到的几个地方均是当时北青瓷的生产中心。

1957年，中国国家文物局在陕西省铜川市耀州区周边进行考古发掘时，发现了耀州青瓷的窑址。从五代十国到10世纪前后的北宋时期，窑炉多为细长椭圆状，烧成室由耐火砖头筑成龟壳样，前面有一个狭长的火室和深的灰烬坑。窑炉的后面有烟囱，燃料是煤炭。窑炉附近有作坊，在里面发现了大量的筑窑工具和陶瓷碎片。由此可见，很多北青瓷都产自耀州窑。

耀州窑是传统的华北式窑炉，类似的青瓷窑常见于河北省和河南省。虽说新发现的这一两处窑址不能说明全部问题，但对近二十年来的青瓷研究却起着不可或缺的作用。

1127年，靖康之变之后，宋朝廷迁都至南方的杭州。当时，无论是北方官窑的匠人还是江苏、浙江本地的越州青瓷匠人，抑或是已初步掌握了粉青色青瓷烧制技术的龙泉窑匠人，都纷纷随之迁往杭州。

南宋虽然国力不振，但文化却异常繁荣，青瓷技术正是在南宋时期达到了顶峰，粉青色青瓷技术在此时也发展成熟。南宋朝廷设修内司和郊坛下两处官窑，我认为中国人追求青瓷的玉石质感正是始于南宋官窑。

如此看来，中国人在烧制褐色的青瓷时对玉石还不太了解。到了南宋时期，人们对玉石的认识加深，这激发了他们制作人造玉的热情。人们在烧制青瓷时特地选取灰色的胎土，上釉药时涂好几层，尽量接近玉石的质地。

杭州官窑产的青瓷数量不多，但从当地窑址采集到的碎片来看，当时的青瓷从大器皿到小器皿，颜色从粉青色到青绿色、褐色到灰色，一应俱全。由此可见，烧制过程中有过多次失败案例，历经了不少弯路，而新技术的探索之路就如同窑炉的构造一样曲折。

目前，世界各地均藏有修内司窑和郊坛下窑出产的青瓷名品，如台北故宫博物院、东京国立博物馆、东京根津美术馆、纽约现代美术馆、大英博物馆、大维德基金会，等等。仔细观察这些名品，你会发现它们之间均有着细微差别，可见烧制青瓷的难度之大。

浙江龙泉窑不仅批量生产青瓷，而且生产的青瓷质量还享誉海内外。龙泉窑青瓷的底瓷是粉青色瓷，这种瓷器的釉色和品质都很稳定，燃料用松柴，窑口是窑炉系龙窑，窑址随着深山里的松木燃料从浙江一路向福建迁移，这也是龙泉窑的特征之一。简言之，龙泉窑青瓷不是在同一个地方烧制的，而是在浙江和福建这两省之间的山岳地带的几百个窑厂中烧制的。正因为分布范围如此广，所以目前对龙泉窑窑址的调查未能取得像其他窑址那样的预期进展。[1]龙泉市位于浙江省瓯江上游，临近省界，龙泉市腹地的小梅镇有一处古窑址，这是南宋晚期最好的粉青瓷窑。20世纪二三十年代陈万里先生在此进行了考察，后来浙江省文物局也对此进行了相关的考古调查。

有很多古窑址位于深山之中，我们不可能一一对其进行实地调查。目前可知的是，龙泉窑搬到福建之后，松溪和处州成了青瓷生产的中心，烧出的青瓷沿着闽江南下至福州，那也是青瓷交易的贸易港。[2]

简言之，宋末元初，浙江省的窑口已经能烧制近似粉青瓷的瓷器了。到了元末明初，福建的窑口烧造的龙泉窑青瓷，釉色渐渐变绿。日本嵯峨天龙寺商船从中国购得此类绿色青瓷，并称其为“天龙寺青瓷”。可惜的是，龙泉窑不是一个窑厂，而是一系列窑厂，目前仍有很多窑厂未被发现，相信随着考古发掘的不断推进，我们能够获知更多细节。

青瓷传入世界各地

伊斯坦布尔的龙泉窑青瓷

1961年，我第一次参观伊斯坦布尔的托普卡帕宫。从大门进来，穿过中庭，右侧有五个房间，透过窗户能看到博斯普鲁斯海峡。房间里有十一根烟囱，这里以前是厨房，现在被改造成了中国瓷器收藏馆。收藏馆的展柜里摆满了青瓷和青花瓷，还有一些器皿直接摆在了展柜上，甚至连墙上都挂满了各式各样的青瓷和青花瓷器物，一直延伸到拱形天花板附近，可能拥有中国瓷器是一种身份象征，所以才会摆得如此满。

除了伊斯兰世界，类似的藏馆在欧洲、印度和东南亚等地也能看到。这种铺天盖地的陈列方式和日本馆藏那种要逐一细细品味的风格完全不同，所以第一次看时我觉得非常震撼。

后来，托普卡帕宫墙上的那些瓷器全被撤下来，在隔壁增设一间陈列室，博物馆也被改造成欧式风格，似以往的那种有威严感的陈列风格消失了，这点还挺可惜的。

在本书开篇，我们说到在历史上的古代国际贸易港遗址和考古遗址中都发现过中国瓷器的碎片。事实上，在这些遗址中还发现了大量青瓷碎片，其中日本福山市的草户千轩町、石垣岛遗址发现的碎片，以及马来西亚的古晋等地的博物馆内珍藏的青瓷碎片更是能堆成一座小山。年代越往后，青花瓷的碎片越多，早期的青瓷碎片甚至要比白瓷和青花瓷的碎片都多。在中国之外的其他国家看到的青瓷，有90%产自13—15世纪的龙泉窑。参考相关历史文献，我们会发现宋代的陶瓷出口贸易相当繁荣，但从实物考古的结果来看，目前发现的大多是元代的瓷器碎片。

中国人烧制青瓷是出于对玉石的憧憬，但外国人可不管什么玉不玉，反而是托普卡帕宫的解说员说的那种“青瓷一旦装了有毒的酒或者食物后就会变色”的谣言大行其道。再者，人们认为

明

龙泉窑 青瓷刻画莲纹大盘

台北故宫博物院藏

青瓷盆中的饮品有沉淀物，喝了能精神百倍，沉淀物磨成粉可入药治病。据说，在印度尼西亚和菲律宾，人们会从青瓷盘上削下一些粉末给病人服用，我们的确发现了一些残缺的青瓷盘。

直到今天，我们还能听到有关青瓷、青花瓷和五彩瓷等中国瓷器可以验毒的谣言，尤其在阿拉伯商人中。

印度的戈里

印度也有中国瓷器的藏馆，而且到处都有耐人寻味的考古发掘。自1963年起，我曾几次造访印度。

德里有一座莫卧儿王朝遗留下来的大宫殿——红堡，里面的珍品陈列室藏了近40件中国瓷器，当中有一件直径41厘米的素纹青瓷大盘，上面用阿拉伯文写着“沙贾汗二王子舒贾藏，希吉拉历1056年（公元1646年）”。

印度也有青瓷大盘挂满墙的陈列传统。德干高原的中部城市奥朗加巴德和西北部穆尔斯希达巴德城的古代宫殿内都有一面或几面墙，上面整整齐齐地挂着青瓷盘。另外，印度半岛东部的乌木海岸、西部马拉巴尔海岸的果阿和佩里亚帕特蒂等地都有中国的青瓷碎片和青花瓷碎片出土，可见过去有大量的中国陶瓷出口到当地。

今天，印度人称青瓷为“戈里”。在德里东边的戈拉（Gora）、海得拉巴郊外的戈尔孔达（Golkonda）和斯里兰卡的加勒城（Galle）都发现了大量青瓷。据说，因为这几个地方的地名都有

"戈里"的谐音，而且印度语中又把盘子、壶等圆形器皿称为"戈里"，所以青瓷就有了"戈里"这个名称。

印度的种姓制度非常严格，虽然低种姓的人可以用高种姓人的日常用品，但高种姓人却不愿意使用低种姓人的日常用品。在今天印度人的婚礼上，婚宴菜依然用素烧的碗碟盛放，而且还保留着婚礼结束后打碎餐具的风俗，所以如果我们在路上突然看到满地碗碟碎片，便可以推测出这里刚刚举行过一场婚礼。此外，素烧的茶杯也非常简朴，多是一次性的，人们用它来装奶茶，一饮而尽后扔到地上打碎。不过，金属容器和中国瓷器在印度的待遇就完全不同了，人们用完后会认真地洗干净，认为这样就不是不净之物了。瓷器无疑是一种奢侈品，人们不舍得只用一次就打碎。可是印度人洗东西时是用沙子作洗涤剂，所以原本漂亮的青瓷表面上的那层光泽都被沙子磨掉了，看起来就像毛玻璃一样泛着白，非常刺眼。印度人对此倒是挺自豪，认为这是家族的每一代人都好好爱护中国瓷器的证明。

沉船的发现与青瓷编年的线索

水下考古学和海底考古学是近年来新兴的学科。韩国政府把新安海域沉船考古作为国家项目，赢得了世界学术界的称赞。

1988年，长达十年的考古调查终于告一段落。韩国政府宣布，将于1990年在木浦建一所海洋博物馆，用以收藏打捞上来的木船残骸以及船上的中国白瓷、青瓷、漆器等货物，还说要成立一个海洋研究中心。

1976年，韩国的一个渔夫在捕鱼时发现渔网里有多件陶瓷，韩国政府对此十分重视，马上组织考古学者、历史学者和海军陆战队的蛙人，倾其国力进行全方位打捞，不给古董商任何“寻宝”的机会。

有很多人在世界各处海域寻找沉船，想从中大赚一笔，可是真正能发财的人占极少一部分，因为即便你发现了沉船，里面那些值钱的东西也早就被偷走了。然而，学术打捞就是另一回事了，不仅要打捞那些值钱的，还要打捞不值钱的，这些东西全部打捞上来要花费一大笔钱和很长时间，韩国政府在这件事上的确处理得很好。

沉船上的货物以中国青瓷居多，另有白瓷和天目釉瓷，共计12000多件。除了中国瓷器之外，还发现了韩国本土产的高丽青瓷和日本的青铜镜、漆器及日本僧侣穿的木屐。木箱里不仅有陶瓷，还有胡椒和香木。船的甲板是双重结构，船舱用一块块木板隔成几个舱，这是帆船特有的分离式结构，整艘船长约30米。这一艘船的发现让我们获益颇多。

水下发掘的困难之处在于，淤泥太厚，几乎看不清任何东西，尽管如此，考古队依然从中发现了一块记载货物名单的木简，上面刻有年份，换算成公元纪年是1323年。据此，我们推测船上的陶瓷多产于14世纪初，船沉没的年份应与此相差不远。此外，木简上还有寺院“兴福寺”的名称、僧人名以及疑似某位日本商人的屋号*。由此，我们可以得知1318年京都兴福寺火灾之后，僧人们希望通过进口龙泉窑青瓷等瓷器到日本，以此获利以求重建寺院。[3]据推测，这艘船从浙江宁波出港，暂停靠韩国木浦，最后在驶往日本的途中失事。

此外，我们的研究课题“宋末至元明时期的青瓷编年”的相关史料实在太匮乏了。一直以来，主要依赖伦敦大维德基金会收藏的烧制于泰定四年（1327年）的瓷壶、宣德七年（1432年）的瓷壶，除此之外，几乎没有任何供我们用来研究龙泉窑青瓷烧制年代的史料。新安海域沉船上的打捞物不仅给我们提供了大量的史料，还向我们展现了14世纪初的瓷器。

其中有南宋时期的龙泉窑凤凰耳花瓶，这个花瓶的造型与目前已被登记为日本国宝的那件陶瓷花瓶相似，还有鯱耳花瓶，这种花瓶深受日本茶人的喜爱。沉船上可能还有100多年前的货物。除此之外，船上还发现了日本的濑户烧和韩国的高丽青瓷，最初装货的情况是怎样的呢？目前，这个问题在陶瓷史研究中还是个谜。不过，我们可以确定的是，这次的考古发现为青瓷研究提供了很大帮助。

1981年，在中国福建省泉州港打捞出一艘与新安沉船几乎同时期的商船。前文中也提到过，在印度尼西亚图班港附近也打捞到一艘同时期的沉船。1987年，在香港近海附近打捞到大量青瓷，

---

* 古时，日本商人的店铺常以“某某屋”为名。——译者注

由此推测此处应该也有沉船。

结合沉船上的货物以及我这些年的碎片调查可知，14世纪之后，龙泉窑青瓷的出口量出现了爆炸性增长，这反映出元代时浙江、福建和广东沿海地区的经济已经相当繁荣。另外，同时期印度尼西亚的满者伯夷王国（Majapahit）、印度的拉杰普塔纳王国和中东的马穆鲁克苏丹国等局势稳定，和同样繁荣的中国元朝一起构成了当时世界性的东西方经济贸易网。

总之，龙泉窑青瓷的分布状况反映出14—15世纪世界海上贸易的繁荣，这一证据要比文献资料更有说服力。随着不同时代、不同国家沉船的不断发现，调查研究不应该仅限于陶瓷学范畴，而是应该联合历史、经济、工艺、科学和船舶等学科的专家学者们展开综合性研究。这些沉船就像是埋下的时间胶囊，里面的东西会给我们很多答案。

在中亚地区，我们可以通过绿洲等获知“丝绸之路”上东西方贸易的相关信息。同样，假如将来我们能发现更多沉船，相信“海上丝绸之路”上的“点”终将连成一条“线”。

* * * * * *

白瓷：白色的戏剧

白瓷是怎么来的

对白色陶瓷的向往

中国人推崇儒家思想。由于儒家思想主张压抑欲望，宣扬为人之道，摒弃奢华艳丽的色彩而偏爱纯白色，所以祭祀仪式上的祭器也多为白色。

不仅在中国，深受儒家思想影响的朝鲜半岛对白色也颇为执着。中国的青瓷、青花瓷等制瓷技术陆续传到朝鲜半岛，不过彩瓷烧制技术在朝鲜半岛就没有那么发达了。朝鲜王朝之后，白瓷传到日本，日本人对白瓷爱到了极致。日本虽然不产白瓷，但是日本人会用白色的木头制造祭器。

东方人似乎对白色的物品有着别样的执念。古代的陶瓷始于土器。不管是野烧还是窑烧，只要发生了氧化现象，黏土中的铁元素就会呈现出红褐色，而还原反应下的铁元素则呈灰色或黑色。几千年来，古人们一直想烧出白色的陶瓷，那可谓是他们的终极梦想。他们翻山越岭寻找能烧制这种陶瓷的优质黏土，皇天不负苦心人，他们终于发现了白色的土层，而这种土也刚好适合烧制陶瓷。

之前，我们曾多次提及烧制瓷器的两个基本条件——瓷土和耐1300℃高温的窑炉。在这里，坯体在入窑烧制前，人们会在褐色的土器或陶器表面涂一层白土，这样烧出来的成品只有表面是

白色的，这种技法叫“白化妆”*，在日语中又被称作“エンゴベイ”。“エンゴベイ”一词很可能是法语单词“engober”（涂泥釉）的误译。因为如果只是在器物表面涂一层白土，日本人会用“エンゴベイ”这个词形容。至于白化妆中使用的白色土，从成分上来看是高岭土。

古埃及陶器的胎土呈灰色或褐色，质地粗糙，由于古埃及人希望能拥有白色的器皿，遂独创了自己的白化妆技法，所用的白色原料是硅砂。在中国，白化妆技法多见于磁州瓷和唐三彩等北方陶瓷中，南方几乎看不到这种瓷器。由于古代波斯人早就掌握了白化妆技法，所以我认为这一技法最早是从西方传来的。

在朝鲜半岛，人们在发现瓷土并开始烧制白瓷之前，已经掌握了在陶器表面涂白色土，从而制成白色祭器的技术。除此之外，还有非全白的祭器，比如用毛刷在灰色器物表面刷一部分白色，不施加任何纹饰，这种陶器在日语中称为“刷毛目”。后来，朝鲜半岛的人们发现了高岭土，之后中国的白瓷烧制技术传到这里也就成了自然而然的事。

白瓷的发展

话题回到中国。商代都城安阳殷墟中出土了白陶祭器，其中体积最大的是一件酒器，称为“罍”，两肩有耳，下有基底。倒酒

---

* 中国陶瓷界称为“施化妆土”。——译者注

的时候，双手抓住罍的两耳向前倾，酒就能流入杯子里了。罍的器身上雕有雷纹，和青铜器的样式一样，但却是用白色土烧制的，可归入黏土手工艺品一类，所以质地硬度不大。除此之外，在殷墟的遗址中还发现了其他形状的器物和碎片，这些东西均是祭器而非日常用具。

高温烧制的硬质白瓷直到7世纪的隋朝才成为日常用具。人们在陕西西安附近发现了几座古墓，墓中有诸如“大业四年”（公元608年）、“大业六年”（公元610年）之类的文字，另有碗、壶等瓷器出土。这些瓷器的瓷胎是白色的，上面涂了一层高透明度的灰釉。在此之前，陶瓷表面的釉有褐色釉、天目釉以及自带颜色的青瓷釉，与之相比，只有白瓷真正焕发了器物自身的白色美。陕西隋代墓葬中的白瓷可以说是白瓷领域的重大发现。

唐代时，邢州窑烧出了白瓷龙耳壶、白瓷水壶和白瓷碗等器物。据推测，邢州窑位于河北省邢台市内丘县一带，不过到目前都没有找到它的窑址。[1]由于烧制白瓷时以煤炭为燃料，产生的火焰系氧化焰，所以烧出来的白瓷会带一点点黄，这就是人们所谓的半瓷胎（陶器之上、瓷器未满的陶瓷）。[2]

8世纪时的唐朝是个世界大国。我在德黑兰的一个古董商那里看到过唐代的白瓷碗，最近20年，印度尼西亚也发现了大量宽口白瓷碗，不过由于这些白瓷碗的造型不够美观，所以我就没有投入过多的精力去研究。在日本北九州的8—9世纪的土层中发现了此类白瓷碗，日本出土的白瓷碗成了判断烧制年代的关键。

中国的白瓷早在唐代时就已经通过海陆两条丝绸之路出口到了国外。这段历史实在让我着迷。

白瓷的魅力

定窑白瓷

河北定窑产的白瓷是白瓷中的代表。北宋时期，定窑产的白瓷质薄体轻，无论是瓶、钵还是碗都烧得端端正正的。每个时代的陶瓷都反映了当时的社会特征，比如唐朝是个开放的帝国，与多个国家都有贸易往来，当时的白瓷就反映了统治者胸怀天下的姿态，这体现在唐代白瓷大腹的圆形器身上。到了宋代，由于陶瓷受到当时的思想和文化的影响，开始向着写意的方向发展。

定窑白瓷分很多种，当中有一种被称作“梅瓶”，现在台北故宫博物院和伦敦大维德基金会收藏的都是梅瓶的代表。梅瓶瓶身稍高，开口较小，瓶身高度、肩位宽度和开口有一种微妙的平衡感，尺寸适中，整体接近于直线状。肩位到瓶身上部那段呈圆形，之后逐渐呈直线向下收窄。

“梅瓶”这个名称的由来有很多种说法。有人说它原来是酒瓶，用梅枝封口，所以开口不能做得太大，加上里面装的是梅酒，因此得名梅瓶。最浪漫的一种说法是，人们在喝完梅酒之后，梅瓶摇身一变成了花瓶，可插入梅花供人观赏，取自一种酒后欲回味美酒的香醇，却发现酒瓶已空的意境。想象一下，李白这类隐遁避世的高人独酌一壶后细嗅梅香的情景，而能配得上这一情景的只有梅瓶。

元代梅瓶下部的收窄有钝感*，明代梅瓶的肩位到器身的凸处重心过低，如此看来，还是宋代梅瓶更具哲学意味，尤其是定窑梅瓶。这里顺带提一下，白瓷那种白中带着些许黄的颜色在西方被称作“象牙白”——一种温润的颜色。[3]

在河北保定市曲阳县的涧磁村发现了烧制定窑白瓷的窑址。最近，中国国家文物局对该窑址进行了三次考古发掘，除了白瓷之外，还发现了一些黑釉瓷和少量绿釉瓷。

目前我们不清楚定窑中有没有官窑，但是翻阅文献可知，定窑在北宋时期的确烧制过宫廷用品。[4]窑址的考古调查结果显示，这里生产的瓷器全是薄身，形状端正简洁，有少部分粗糙品。不过，这里的瓷土（高岭土）黏性大，能造出非常薄的器身，还能在瓷胎的内侧雕刻莲花纹、水禽纹等纹饰。看到这些线条流畅的花纹时，瞬间就懂得陶瓷之美是怎么一回事了。得益于瓷土的优质，此处还制造了印花细线条花纹陶瓷。当我看到大钵和大碗时，内心想的是：这么大，应该挺沉的吧，结果拿到手上之后，发现它们跟我们见到的定窑白瓷一样轻盈。用收藏界的行话来说，那真的是“很好拿”。

身为一个历史学家，我深知不能让自己过于沉溺观赏之乐，

---

* 此处作者用了“鈍い”这个词，日语中表示迟钝、钝感之意，指元代梅瓶下方的收窄没有宋代梅瓶那么一气呵成。——译者注

而是应该从一个客观的角度来审视这些瓷器。可是，当我看到伦敦大维德基金会收藏的定窑梅瓶时，目光一下子就被吸引了过去，尽管只有一会儿。当我回过神来，发现自己的思绪就像被滤过一样，神清气爽。

景德镇白瓷

说到白瓷，还是得提一下景德镇白瓷。两宋时期的景德镇白瓷因含有少量铁元素，积釉处泛着淡青色，中国人给这种淡青色取了一个既洒脱又相配的名字——影青。不同于定窑白瓷的黄白色，景德镇白瓷是青白色的。当人们谈到某个瓷器是影青的时候，指的一定是两宋时期的景德镇白瓷，因为在元代、明代及之后，景德镇白瓷的青色逐渐淡薄。

元代发展起来的彩瓷是青花瓷，有学者认为史料中记载的“青白瓷”其实就是青花瓷。而最近的学术刊物也慢慢抛弃了“青白瓷”这个说法。[5]

和北方的定窑相比，景德镇烧制瓷器的历史要久一些。宋代之后，景德镇凭借丰富的高岭土资源和自身的活力成为世界瓷器中心。毫无疑问，景德镇也生产白瓷。

宋代影青瓷体的轻薄令人诧异。虽然定窑也能烧造薄身瓷器，但景德镇的瓷器已是半透明状态。半透明的瓷钵上雕有孩童、莲花和凤凰等图案，在稍有坑洼的地方釉呈淡青色。景德镇白瓷完全有资格成为中国白瓷的另一个代表。从美学的角度来看，定窑白瓷较为温润，景德镇影青则较为冷峻。

景德镇南郊有一处叫南市街的窑址，现在已经变成了农田，不过在原窑址的土丘上还能找到一些陶瓷碎片。碗的底足（日语中称作“高台”）未上釉的部分在窑炉中烧制时常常会出现红斑，很像铁的颜色，这种红斑在日语中叫作“火色”。

据史料记载，1425年，明代宣德皇帝登基之际，朝廷下令景德镇官窑烧制了大量白瓷礼器，这应该是基于儒家思想对白色的推崇而为。这些钵、盘、碟等器物造型端正，底足刻有“大明宣德年制”几个蓝色大字，还用同心圆把字圈起来了，以示瓷器乃官窑所制。我以前观赏过几件景德镇白瓷，包括大英博物馆藏的深碗，那只深碗直径18厘米，器身较直，碗底刻有烧制年代，应该也是官窑烧制的礼器。

暗花纹的淡然之美

“暗花”一词在日语中的片假名是“アンカ”，属于毛雕花纹的一种。景德镇白瓷上的暗花纹非常纤细。起初，不管是白瓷还是青瓷，器身上都没有纹饰。随着时代的发展，人们开始在瓷器上雕刻毛雕纹、浮雕纹之类的纹饰。明永乐之前，暗花纹并不常见。

20多年前，我在伊斯坦布尔托普卡帕宫看到了一件白瓷壶，壶盖是土耳其自产的，用黄金打造，上面镶嵌着红宝石和绿松石。壶身产自中国景德镇，器身上雕刻有细线，我凝神观察着细线的走向，随后开始在笔记本上描画，最后画出了一朵漂亮的芙蓉花。此外，白瓷梅瓶上也有此类毛雕纹，通常是莲花唐草纹，白瓷大盘上刻的是花束纹。一开始我并没有留意那是什么花的纹饰，只知道其他同类型的器物上也有这一时期的花纹。由此可见，15世纪时，永乐时期的暗花纹颇为流行。

我在很早之前就对描画花纹时用的印花纸感兴趣了。印花时，先把纸覆在白瓷器身上，再用钉子刻上细线花纹，最后用画笔上色。假如刻线时出现了某些失误却没被注意到就直接入窑烧制的话，就成了暗花纹的底器。

暗花纹器皿数量稀少，但颇受欢迎，人们认为那是一种高贵的花纹。我认为，暗花纹的流行时间与白瓷受欢迎的时间是重合的，暗花白瓷很有可能也是礼器的一种。不过可能是因为暗花纹的纹饰实在太浅了，所以长久以来都没有出现大批量生产的现象。

14世纪至15世纪末，景德镇的陶瓷生产以青花瓷为主。进入16世纪之后，红、绿、黄等颜色的五彩瓷多了起来。这些瓷器是在硬质白瓷的基础上，描上花纹二次加工制成的，看起来好像这一时期的中国人已经不喜欢白瓷，甚至让人怀疑是不是儒家思想式微了。不过，也有人提出异议，说中国人自古以来就喜欢色彩丰富的东西，不管是定窑白瓷还是景德镇影青，都是庄严中透着尊贵。由此看来，真正凝聚了儒家禁欲思想的还是宋代白瓷。

德化白瓷

日本人所谓的“白高丽”，以及欧洲人说的“马可·波罗瓷”，其实都是产自中国福建德化窑的白瓷。

比起中国瓷器，江户时代的很多日本人似乎更喜欢朝鲜半岛的瓷器，他们把中国磁州窑产的铁绘瓷称为“绘高丽”，把德化窑产的白瓷称作“白高丽”，误以为这些瓷器都产自朝鲜半岛。我猜，他们可能先看到的是鸡龙山*产的铁绘瓷，后来接触到德化瓷时发现这种白瓷跟景德镇的风格不同，但又不知道具体产自哪里，于是想当然地以为产自朝鲜半岛，取名“白高丽”。

欧洲人认为白瓷是马可·波罗从中国带回来的，所以称之为“马可·波罗瓷”。但是，德化瓷直到13世纪末才出口到东南亚，而且还只是些盒子之类的小物件。德化瓷出口的高峰期在明代。17—18世纪，德化窑烧造了大量白瓷观音像。欧洲人十分喜爱德化窑产的基督像和红毛人像，常把它们视作珍品，可是此时距马可·波罗生活的年代已经过去了约300年。大概是因为欧洲人只要一提及东方，首先想到的便是马可·波罗，所以才会用他的名字命名白瓷吧。

最初，德化瓷的积釉处有些许黄色，从明代起变为纯白色。德化窑的高岭土和景德镇的高岭土都属于黏性大的瓷土，适合造模。与之前的辘轳制作方式不同，14世纪时表面雕有唐草纹的盒

---

* 位于今韩国忠清南道公州市。——译者注

子多由模具制成。

福建的陶工在很早之前就开始烧制和出口白瓷了。说起来，像白瓷观音像这种器物满足的是人们对宗教的庄严需求。

德化窑还烧制了一种被称作“角杯”的白瓷酒杯。角杯不是普通的日常器具，而是仿白玉杯制成的礼器。清代之后，人们烧制了多件仿古礼器，比如仿青铜器制成的白瓷鼎和白瓷尊。由此可见，白色的瓷器并非普通的器物。不过由于德化窑的规模没有景德镇那么大，而且烧出来的颜色几近纯白，缺少定窑白瓷的那种温润感，导致喜欢德化白瓷的人不是很多。

今天，人们在制作白瓷观音像等造型雕塑时，为了防止人物的手指、纹饰等易损部位受损，会在上面粘上木屑作为保护层，之后再把雕塑放进水槽，木屑就会脱落浮出水面。这一过程看起来就像观音现真身了一样，别有一番趣味。

* * * * * *

青花瓷：灵“西”一闪

青花瓷的起源与发展

美丽的蓝色瓷器

14世纪时，中国人掌握了用含有氧化钴的深蓝色颜料在白身硬质的瓷肌上描绘各种美丽纹饰的技能，并开始批量生产这种瓷器。这种瓷器一时间风靡全世界，同时把东方的神韵传播到了西方。对于那些对东方文化满怀憧憬的国家的人而言，这种瓷器更是洋溢着异国风情的典型代表。

中国人把这种瓷器称为“青花瓷”，日本人称作“染付”，英语国家的人则称之为“blue and white porcelain”或者“blue and white ware”。

中国的青花瓷以1300℃高温烧成的硬质瓷器为器身。景德镇是青花瓷的主要产地，它从14世纪的元代一直生产至今。越南安南窑的青花瓷、朝鲜半岛的李朝青花瓷、日本的伊万里青花瓷以及东南亚地区的本土青花瓷，都是在中国青花瓷技术的影响下诞生的。

一直以来，青花瓷的历史如同迷雾一般。但在最近这30年，瓷器编年研究取得了重大进展，如烧制年代、社会背景、技术传播和出口概况等方面已逐渐明晰。此外，我们还了解到由于真正的中国青花瓷出口量极少，[1]所以在波斯、土耳其、墨西哥和欧洲地区都出现了中国青花瓷的仿制品。

在这30年间，青花瓷的相关谜团陆续被揭开。如果以此为线索，我们甚至可以把青花瓷的历史拍成一部连续剧。

起源于波斯的青花瓷

中国的青花瓷技术源自哪里？近半个世纪以来，有很多人从不同角度展开过论述。最近20年，人们逐渐接受了青花瓷技术由西方传入的观点。

日本在很多方面都受到中国的影响，不仅是陶瓷，其他领域也是如此。中华文化博大精深，仅是研究陶瓷这一领域就已经很庞大了。随着对青花瓷研究的不断深入，人们发现元青花瓷实际上是阿拉伯商人委托中国人烧造的订单瓷器，这一现象在研究初期被视作奇观。

10世纪之后，尤其是17世纪，波斯境内出现了大量具有中国风格的本土陶瓷，无论是形状、纹饰还是釉色，都和中国陶瓷极其相似。对研究波斯陶瓷的学者来说，波斯与中国陶瓷之间的关联是一个绕不开的话题。研究或者收藏中国陶瓷的人们可以单独就中国陶瓷开展，但研究波斯陶瓷就必须提及中国了。

早在9世纪中叶，美索不达米亚地区的陶工就开始烧制白底蓝纹器物了。蓝纹以钴为颜料，呈线条状。尽管它们只是诸如十字纹、半圆和植物纹这类的简单纹饰，但白底蓝纹的搭配在视觉上的确是一种新尝试。

中东地区早就开始用钴矿做颜料了。公元前3000年左右，巴比伦地区已经有用钴蓝上色的玻璃器皿。钴的使用在中东地区已是传统。

不仅在美索不达米亚地区，在伊朗陶器文化的其中一个中心内沙布尔也发现了青花陶器。1968年，我在那里采集到了带有青花纹饰的陶器碎片。内沙布尔不仅是古代丝绸之路沿线的重要城市，还是陶器生产中心，这里烧制出了波斯三彩陶、黄底动物纹陶、写有《古兰经》的白底黑字陶器及黑色唐草纹陶器。由此推测，其中必定也有用钴蓝上色的青花陶器。

由于美索不达米亚地区出土了波斯青花陶器，所以很多人认为青花陶器的起源地在美索不达米亚。当我真的找到可以佐证内沙布尔产青花陶器的证据时，内心十分激动。我把陶器碎片放在酒店的洗手池里，洗去附着在上面的沙子，当鲜艳的颜色逐渐显现出来时，一股喜悦之情油然而生。

当然，内沙布尔作为丝绸之路沿线的大城市，美索不达米亚地区产的陶器运到这里出售也不是没有可能。在那之后，我又调研了很多类似的陶瓷，包括伊朗国家博物馆的馆藏以及古董商收藏的那些，对比后发现美索不达米亚的陶器多是盘和钵，而内沙布尔在9—10世纪产的陶器多是碗碟之类的小物件。由此可见，波斯人早已掌握了烧制青花陶器的技术——尽管窑温要求不高。这比中国人开始烧制青花瓷早了400多年。

遗憾的是，世界上出土的波斯陶器超过90%是盗墓贼挖出来的，经由正规考古发掘的少之又少，致使学者们很难准确判断陶器的产地，只能靠观察陶器的底色推测。

钴与青花

中国人用氧化钴做青花瓷的上色颜料，取名“回青”，有“来自西域的青色颜料”之意。总之，中国人知道钴颜料来自西方，但不知道具体是西方的哪里。

中国人称钴为“苏麻离青”或“苏尼勃青”，其中“苏”指的是苏门答腊。[2]苏门答腊岛东北部的穆西河畔的河港——巨港，是东西方贸易的货物集散地。西方的货物经由印度洋和马六甲海峡运到这里，而钴作为一种外来物，被中国人以中转地苏门答腊的“苏”命名。

英国的中国古陶瓷学者哈利·加纳爵士著的《东方的青花瓷》（*Oriental Blue and White*）常被视作西方的青花瓷教科书。书中引用了14世纪初波斯陶工阿布喀什·伊本·阿卜杜拉的记述，指出卡尚（现伊朗中部城市，属于伊斯法罕省）郊外的克木萨尔是优质的钴产地。今天，全世界消费的钴中有70%来自非洲，其中刚果约占50%，摩洛哥约占11%，赞比亚约占10%。因此，埃及陶瓷、美索不达米亚的玻璃器皿及陶瓷中用的钴颜料很有可能来自非洲。

同样，中国在国力强盛时进口的回青质地优良，颜色鲜艳；国力衰微时，回青进口业务随之停滞，而少量入境的回青也较劣质。14—16世纪，进口钴的颜色有着细微差异，这表明钴的产地很可能不止一处，有伊朗的克木萨尔和非洲等多个产地。

明

成化款 斗彩花卉青花梵文小洗

台北故宫博物院藏

到了现代，随着化学分析技术的进步，人们发现了钴的更多传播途径。波士顿大学的W. J. 杨先生和牛津大学的斯图尔特·杨先生分别于1950年、1956年对中国的青花瓷进行了化学分析，发现西入的钴蓝中含有砷和硫黄的成分，而中国本土产的钴蓝则多含锰元素。之后，陶瓷研究者发表了一系列中国青花瓷颜料的分析研究成果，比如哪些是中国自产的，哪些是舶来品，哪些是两者混合的。

中国陶瓷中最早用到钴蓝的是唐三彩。唐三彩中的“唐”字，源于中国历史上的国际化帝国唐朝。那时候，西方的大量货物被运到中国，上文中提到的克木萨尔产的钴蓝很可能是经由中亚传到中国的。

早在战国到秦汉时期，中国人就已经掌握了西方的玻璃制造技术，他们不仅能制作透明的玻璃器皿，还造出了蓝色的玻璃，这表明当时的人们已经认识到钴这一成分，不过那时候不是特意用钴上色，而是用作消毒剂，称之为“无名异”。

香港大学的冯平山博物馆（1994年之后，更名为香港大学美术博物馆）藏有一尊三脚圆小壶，壶身肩位处有一道蓝色的横线，香港的一位毛先生说这是中国最古老的青花瓷。实际上，这只是唐三彩的一个分支——蓝彩陶，而非真正的青花瓷。

让青花瓷学者兴奋的是大量宋代“雏形青花瓷”*的出土。最

* 当今学术界对宋代是否已经存在雏形青花瓷有争议。——审校者

早是在1963年，瑞典陶瓷学者尼尔斯·帕尔姆伦在河北巨鹿县的宋代古城遗址中发现了青花瓷碎片。接着是《文物》月刊中陆续刊登的考古报告，如江苏扬州出土的菱形青花纹瓷器碎片、浙江金沙塔和绍兴环翠塔宋代塔基内出土的青花瓷碎片。此外，还有广东潮州窑遗址出土的刻有“治平”“熙宁”等年号的青花纹佛雕像，以及江西吉州窑和云南玉溪窑出土的宋代青花瓷碎片。

尽管这些青花纹瓷器还处于试制阶段，未批量生产，但也足以证明青花瓷在宋代已初具雏形。虽然各地的瓷窑都在尝试烧制青花瓷，但当时的技术还未发展到能满足社会需求的水平。

一般情况下，绿、黄、红等颜色的瓷器放到800℃以上的窑炉中烧制会发生变色现象，但钴蓝瓷器却能经受住1300℃的高温烧制，颜色依旧美丽。只会烧制陶器的波斯人不知道这个常识，而中国人在不断的尝试中掌握了钴的这一特征。

元代的青花瓷

元代的景德镇

自元代起，景德镇开始批量生产青花瓷。

约30年前，我刚开始接触中国陶瓷时，我的老师告诉我元代是蒙古人统治中国的年代，也是把中国陶瓷史上的黄金时代——宋代——遗留下来的名窑捣毁一空的黑暗年代。可是我在后来了解到，元代时，青瓷和青花瓷都在批量生产，远销菲律宾、印度尼西亚、印度乃至中东地区。元代不仅不是黑暗年代，反而是中国陶瓷史上的灿烂一页。况且，在中国陶瓷中占据重要地位的青花瓷，正是在元代开始批量生产的。

1937年，大英博物馆的陶瓷学者H.R.霍布森以伦敦大学大维德基金会收藏的两个刻有“至正十一年”字样的青花瓶为研究对象，指出该字样代表了青花瓶烧制的年代，即1351年，由此推知这是元青花瓷。可惜的是，这在当时没有引起公众的注意。太平洋战争结束后，青花瓷的研究中心从欧洲转移到美国。1949年，纽约山中商会的白江信三先生和华伦·科克斯在他们合著的论文中，再次提到了“至正十一年”的青花瓶。

由此开始，元青花瓷的知名度逐渐提升，吸引了大众的注意力。后来约翰·波普先生前往中东调研，并于1952年发表文章，指出伊斯坦布尔的托普卡帕宫收藏的31件青花瓷均烧制于14世纪。1956年，我实地考察了阿德比尔神庙收藏的中国瓷器（目前已转移到德黑兰的伊朗国家博物馆），发现其中有37件元青花瓷。此外，在本书开篇提到在埃及的福斯塔特、印度洋沿岸、波斯湾、印度及东南亚等地也发现了元青花瓷的碎片，还有完整的瓷壶和瓷盘。综上，元青花瓷的存在不容置疑。

1949年之后，中国的考古发掘陆续出土了一系列元青花瓷，此前被判定为明青花瓷的一些藏品也被更正为元代之物。不过，中国国内出土的元青花瓷数量远少于海外，这表明元青花瓷是中国接受外国订单而烧制的外销瓷。[3]那么，接下来我们要回答的问题就是，这种下订单烧制的形式是如何形成的呢？

青花瓷的分布范围主要集中在中东地区，换言之，购买青花瓷的主要是阿拉伯商人和波斯商人。阿拉伯商人每天要朝拜五次，即使身处“丝绸之路”上的沙漠中也不例外。人们在提到“丝绸之路”上的阿拉伯商人时，很容易想到那些长途跋涉的骆驼商队，却鲜少有人知道他们同样活跃在“海上丝绸之路”。

阿拉伯世界有“水手辛巴达”的民间传说，事实上，他们在很早之前就开展海上贸易了。阿拉伯商人和他们的“达乌”（dhow）三角帆船活跃在印度洋沿岸、红海、波斯湾、印度尼西亚海域至中国南海的这一大片海域。阿拉伯商人的航海传统使得他们积累了大量与季风、洋流等相关的海洋知识和经验，后来随着指南针的引入，航海技术又向前发展了一步。朝圣本来就依赖海路，再加上商人贪婪的心理，阿拉伯商人因此拥有了常人所不具备的冒险精神。

由于向中国下烧制青花瓷订单的是阿拉伯商人，所以元青花瓷似乎不太符合中国人的审美。明洪武二十年（1387年），曹昭在《格古要论》中写道：“元朝烧小足印花者，内有‘枢府’字者高……有青花及五色花者，且俗甚矣。”我读到这段话时着实吃了一惊。但到了明代中期，中国人的品位似乎发生了变化，青花瓷受到人们的喜爱，就连官窑也开始烧制青花瓷了。

近年来，我上课的时候会跟学生们说元青花瓷上的纹饰原型就是阿拉伯世界的阿拉伯式花纹，这与波斯绒毯有几分相通之处。

他们听完后，一脸“原来如此”的表情。

青瓷与青花瓷

前文中已经说过，我在中国之外的其他地方找到了大量青瓷，尤其是在中东地区。14世纪初，大量青瓷出口至伊斯兰世界，后来青花瓷逐渐取代青瓷成为主要的外销品。但在元代末期，青花瓷的出口量减少，青瓷再次成为主角。这一时期，青瓷和青花瓷的生产状况及出口量就像拉锯战一样，此消彼长。针对这一现象，我想就当时的社会背景谈一下自己的感想。

1976年，我在考察印度德里的图格鲁克王宫遗址前庭花园出土的瓷器时，发现其中约有70件元青花瓷，青瓷仅有4件。事实上，在某一时期，此处进口的陶瓷一直以青瓷为主，该遗址其他位置挖出的陶瓷也多为青瓷，这种情况实在太少见了。

13世纪末，阿拉伯商人觉得青瓷市场接近饱和，想要开发新的市场。于是他们想到了自己的传统青花制陶技术，随即向中国景德镇的瓷窑下订单，要求烧制带有钴蓝纹饰的瓷器。其中用到的钴颜料，应该是阿拉伯商人提供的。

可是这么突然地下订单，景德镇的瓷窑也应付不过来。于是景德镇的陶工和阿拉伯商人商议，借用一些龙泉窑的青瓷陶工。打开地图，我们会发现龙泉窑和景德镇之间虽然隔着山，但按一天40公里的行进路程计算的话，一周左右也能走到了。

接下来，我想到的是元青花有这么多造型和花纹，到底哪一种更古老呢？盘子既有圆圆的造型，也有花瓣式的造型（日语中称为“轮花”）。看上去，圆圆的形状似乎制作起来更容易。轮花纹的话则比较麻烦，要先用辘轳成形，再用钉子雕刻。

说起来，不光是中国陶瓷业，工艺制造业都普遍存在一个现象：某种工艺品在发展的早期阶段，人们必定会一丝不苟地完成每一道工序，而后渐渐出现偷工减料的现象，这类工艺品就成了劣质品。从技术层面上来看，技术一定是不断进步的，新的东西一定比旧的东西更精细，但是我们必须考虑非技术层面，比如偷工减料问题。如此一来，我们就不能笼统地说粗劣品一定是早期产品了。

因此，从这一视角看元青花瓷的话，烧制白底青花——日语叫“白抜き”或“つぶし”，即花纹留白，周边用蓝色点缀，这一要求对工匠来说，显然是件极其烦琐的工作。如果我们拿到两个尺寸差不多的瓷碟，其中一个是轮花碟，另一个是在白底瓷器上用笔画了纹饰的碟子，很有可能轮花碟的烧制时代要更早。青花瓷盘和青瓷盘的形状相当接近，我认为正因为有青瓷热销海外的先例，景德镇的窑厂才敢批量生产青花瓷。在某一时期，青花瓷取代了青瓷成为主要的出口物，龙泉窑亦随之衰退。

至正十一年（1351年），江西和安徽爆发了红巾军起义，后来的明太祖朱元璋也参与了其中。受此影响，景德镇的陶瓷生产被迫中止。元政府的官员逃出景德镇，阿拉伯商人也不再从事青花瓷买卖了，青花瓷批量生产的时代至此终结。1368年，元朝灭亡。

如此一来，阿拉伯商人无物可卖，于是转向了受战乱影响较小的浙江一带。那里的龙泉窑青瓷可借助河流运往海外，出口至中东的青瓷盘和青瓷壶订单纷至沓来。

青瓷的纹饰本来就不多，随着时代的发展，人们看腻了朴素的器物，追求带浮雕纹和印花纹的瓷器，于是出现了用铲子雕刻的纹饰。纹饰的变化是编年研究的线索。14世纪时的青瓷都很朴素，没有过多的装饰，到了14世纪末，青花瓷盘和青花瓷壶上的纹饰出现在了青瓷上。这一点让我记忆犹新，因为它刚好解释了为什么龙泉窑青瓷和景德镇批量生产青花瓷的高峰期会交替出现，而且如此巧合。1983年，景德镇陶瓷考古研究所所长刘新园先生发表文章，指出托普卡帕宫和阿德比尔神庙藏的元青花瓷盘和梅瓶烧制于1334—1352年。我认为这一说法很合理。

综上，我觉得可以合理推断出：红巾军起义后，龙泉窑青瓷再次热销海外，其中一个原因是先前迁到景德镇的龙泉窑陶工回来了，跟他们一起回到龙泉窑的还有景德镇的设计师和画师。青瓷不像青花瓷那样需要用笔画花纹，而是要用刻刀或者模具雕刻纹饰。

谜团重重的釉里红

13世纪末至14世纪初，中国出现了和青花瓷一样用笔画纹饰的新瓷器，不同的是，这些花纹是红色的。画花纹时用的是含铜颜料，描完花纹后，再在器身上涂一层透明釉药，然后置入1300℃的窑炉中烧制。由于这种瓷器的纹饰在釉里面，故得名“釉里红”，英语中称作“underglaze copper-red”。

问题是，铜元素很不稳定，在800℃～1300℃的高温中烧制很容易氧化，无法呈现稳定的颜色。所以在14世纪初，人们选用了化学性质比铜稳定、能调出美丽蓝色的钴矿做颜料，钴蓝瓷器成为主打产品，釉里红则从人们的视线中逐渐消失。

受红巾军起义的影响，来自波斯商人的钴货源中断后，人们再次想起了釉里红。15世纪初，波斯的优质钴货源恢复，景德镇重新开始烧制青花瓷，釉里红的产量再次缩减。到了18世纪的清代，人们终于研制出铜呈色釉。

在中国乃至世界的历史浪潮中，陶瓷生产鲜明地反映了当时的供需关系。青瓷和青花瓷的出口量与生产此消彼长，瓷器生产的中心也在龙泉窑和景德镇窑之间移来转去，中国的陶工们也随之在龙泉和景德镇之间迁移。除此之外，阿拉伯商人对中国各朝督陶官的频繁更换也是应对自如。

我透过陶瓷来观察历史的发展，发现青瓷、青花瓷和釉里红的纹饰虽然相似，却不完全相同，可我又不知道为什么会这样，所以有点失落。后来我意识到，这是几种社会因素共同作用下的产物，才算解开了心中的谜团。

托普卡帕宫和阿德比尔神庙藏有四件明洪武时期（14世纪中后期）的青花牡丹唐草大钵，这四件大钵的色泽很差。台北故宫博物院藏有一件和釉里红纹饰几乎一样的大钵，不过是黑色的。

日本神户的白鹤美术馆也藏有一件类似的牡丹唐草纹青瓷大钵。这些器皿都反映了当时的一种社会潮流。

明代对青花瓷的改进

郑和下西洋

1405—1433年，中国船队罕见地七次下西洋，途经东南亚、印度，直至波斯湾，前六次是永乐帝的诏令，最后一次受命宣德帝。七次中规模最大的一次，明政府派了62艘舰船和27000余名海军士兵。当时的海军将领是一位名叫郑和的宦官。1371年，郑和生于中国内陆的云南昆明。有趣的是，生于云南的郑和竟有一颗海洋男儿之魂。

伊斯兰世界有用黄铜制造的筒状钵、造型独特的水壶、器身扁平且头部狭长的扁壶，以及里面带浮雕纹的碟和盘。中国明初时期的青花瓷有不少以这些金属器皿为原型，伊斯坦布尔的托普卡帕宫和伊朗的阿德比尔神庙中均有此类藏品。

如前所述，元青花瓷一开始是为阿拉伯商人的订单而生产的，但到了15世纪，中国开始自主地生产销往伊斯兰世界的青花瓷。

我在日本的中国陶瓷收藏馆以及欧美的多个博物馆中都见到过明代初期的瓷器。一开始，判定这些瓷器是产于永乐年间还是宣德年间并未受到人们的太多关注，甚至这些瓷器本身也没有受到过多关注。后来，我去了伊斯坦布尔和德黑兰，让人震惊的是，

明 洪武

青花缠枝牡丹纹大碗

台北故宫博物院藏

那里藏有大量明初时期的瓷器，简直可以用“目不暇接”来形容。例如，托普卡帕宫的收藏馆里展出了5件直径70厘米的大瓷盘，这已经让我很震惊了。结果当我进入仓库后，发现仓库的地上还有6件这样的大瓷盘，上面积了一层厚厚的灰。

综合数量、纹饰和形状等因素，我认为，这一时期的景德镇瓷器是郑和一行人基于“扬我国威”之类的目的赠予中东各国贵族的礼物。

郑和下西洋是国家主持的外交活动，所以朝廷肯定向景德镇窑下达了烧制青花瓷的诏令。虽然这些瓷器不是宫廷用品，但可以推断朝廷一定委派了督陶官驻留在景德镇的窑厂。因此，从某种程度上看，景德镇窑也算官窑。

目前学界对洪武时期是否有官窑还有争议，学者们认为那些底部同心圆中写着“大明宣德年制”的瓷器才是官窑所制，因此对其珍视不已。实际上，早在永乐年间，即郑和下西洋期间，景德镇窑就已经是官窑级别的了。

带有宣德年号的官窑青花瓷

如前所述，官窑烧制的宫廷用品，底部会有两个同心圆，里面刻有年号。在官窑烧制的带年号的青花瓷中，“大明宣德年制”不仅质量上乘，至今留存的数量也最多。

清乾隆三十九年（1774年），陶瓷学者朱琰著书《陶说》，这本书在当时被视作中国陶瓷学者的教科书，日本人在江户时代出版了该书的木刻版。朱琰在书中评价宣德年间的青花瓷是品相最佳的青花瓷，而对我们花了大笔墨介绍的纹饰雄浑、笔锋精湛、气质淡雅的蓝色元青花瓷，以及洪武、永乐年间的青花瓷都没提及。其实，不管是元青花瓷，还是洪武、永乐年间的青花瓷，都是近30年才逐渐走进人们视野的，元青花瓷的热潮也是近些年的事。看到新研究成果成为世界潮流，我异常兴奋，因为我也研究过14—15世纪的青花瓷。但是我们不能说朱琰的观点就是错的。因为在清代陶瓷学者看来，青花瓷是销往外国之物，而元代青花瓷更是针对外国订单生产的，对之不免有轻蔑之意。

从陶瓷鉴赏的角度来看，中国的官窑青花瓷与贸易青花瓷确实有着天壤之别。在朱琰眼中，最古老的官窑青花瓷就是宣德年间的青花瓷，将其视为最高品质的代表也无可非议。最近的考古发掘显示，景德镇官窑的窑址刚好存在于这一时期的土层。通过调查陶瓷碎片发现，永乐年间真正开始烧制优质瓷只有最后的那几年。

我们在研究中国陶瓷的历史时，常常会陷入一个误区，以为陶瓷质量的提升或者退步有一个过程。事实上，陶瓷质量随着社会状况的变化而变化，就像坐过山车一样，上升时犹如火箭一般，下降时则好比自由落体。

安南青花瓷的振兴

迄今为止，中国的陶瓷学者都不愿提及1436—1464年的陶瓷发展史，即正统、景泰和天顺时期，他们认为那是一段黑暗的时代。

这一时期，明政府的权力逐渐衰微，宦官把持朝政，相互间争权之激烈堪比皇子夺嫡。景德镇的陶瓷生产陷入停滞状态，同时朝廷还颁布了海禁令，禁止进行海外贸易。岂料这一举措竟在无意间促进了安南（位于今越南河内）青花瓷的振兴。

伊斯坦布尔的托普卡帕宫藏有一尊天球瓶，瓶底刻有“大和八年”（1450年）的年号。安南青花瓷中刻有年号的器皿不多，这尊天球瓶常被当作编年研究的关键。所谓的“天球瓶”，指的是下部的瓶身呈球体状，又大又圆，中心部则是圆柱状细长颈脖的瓷瓶。中国人给瓷器取名的时候喜欢用有意境的字词，如玉壶春瓶、梅瓶等。

这尊天球瓶中心部的花纹与元代的牡丹唐草纹相似，乍一看，很容易让人误以为是元青花瓷，要仔细观察才能发现其中的区别。元代的青花鱼藻纹碟的中心部位绘有鳜鱼，四周水藻环绕，而安南青花瓷中也有类似的鱼藻纹碟。安南青花瓷中包括瓶、壶、盘等器皿，还是在模仿元青花瓷。

最近，学界对安南青花瓷是如何发展起来的有了结论。这要与同时期的中国作对比，当时中国因海禁令被迫中断了对外贸易，安南青花瓷遂成了替代品，开始销往印度尼西亚。太平洋战争之前，印度尼西亚是荷兰的殖民地。当时荷兰人德佛里斯在印度尼西亚四处收集中国陶瓷（今天印度尼西亚国家博物馆里的那些藏品），由于它们质地优良，造型华丽，所以德佛里斯获得了不少赞誉。此外，印度尼西亚国家博物馆的藏品中还有大量安南青花瓷，质量上乘、种类多样。由此可见，安南青花瓷的主要市场是印度尼西亚。

从历史的纵向发展来看，明朝廷是因为国力衰退才颁布海禁令的，而这时的印度尼西亚正处于三佛齐王朝时期，国力强盛，对中国特产、丝绸、陶瓷等物品的需求大增。于是，越南北部的瓷窑开始烧制瓷器来填补市场空缺，这个地方就是安南。由于元青花瓷在安南早已是司空见惯之物，所以人们才会在上面画相似的纹饰。

成色不佳的青花瓷

20世纪60年代，日本的古董市场上出现了一些没有颜色的所谓的中国青花瓷，后来不知道是谁给这种瓷器命名为“南方宣德”。那时候，刚好是元青花瓷的研究热潮时期，因此有人认为这是真正的元青花瓷，也有人说它的烧制年代是在元青花瓷和宣德青花瓷之间，即明初洪武时期。总之，众说纷纭，不一而足。

这些瓷器出土于菲律宾和印度尼西亚的墓葬中，用作随葬品，其中绝大部分是盗墓贼挖出的。学界得知此事后，立马组织考古学家展开考古调查。1967年，当地考古队队长福克斯博士带我到马尼拉郊外的圣安娜教堂，在那里我们发现了一些古人的遗骸。遗骸呈棕色，头部和腰部旁边有几件青花瓷碟和青瓷小壶，看上去相当诡异。当时，马尼拉的陶瓷学者兼收藏家罗克辛夫妻接待了我，给我介绍了不少新出土的陶瓷。

1968年，贸易陶瓷学术研讨会在马尼拉召开，以约翰·波普、小山富士夫和约翰·阿迪斯爵士为代表的世界顶尖陶瓷学者向学界展示了这批新出土的陶瓷。其中包括一些产于15世纪中后期、成色不佳的青花瓷。从它们的纹饰和造型来看，应该是明成化年间的烧制品，但是使用的钴蓝成色不佳。清代的陶瓷学者指出，明成化年间由于无法进口波斯回青，官窑只能烧制淡色的青花瓷。而我看到的实际情况却是，这一时期有大量的青花瓷销往海外，震惊的同时，我不禁质疑，这些外销青花瓷的钴是哪里来的呢?

答案是，中国也存在大量钴矿，只不过颜色差了点。波斯进口的优质钴只用于官窑等少部分窑口，至于出口的外销瓷用本土的钴矿就足够了。

钴单质在烧制过程中会发生熔融现象，在器身表面留下泪痕般的痕迹。有文献记载，中国本土的钴与进口钴混合后，颜料就不会“流泪”了。我观察了一下15世纪中后期的陶瓷，发现的确有几件成色不佳的青花瓷，其纹饰仿元青花瓷的样式。在历史的长河中，这些青花瓷不知不觉地从东南亚到了中东。

我一开始去伊斯坦布尔的托普卡帕宫，主要是奔着元青花瓷和明初的优质品。后来才发现这里藏了不少15世纪中后期的青花瓷。

元代中期，青花瓷质量上乘；元末明初，劣质青花瓷成组出现；明永乐至宣德年间，质量又提高了，无论是成色还是造型都十分精美；正统、景泰和天顺年间，质量再次回落；到了弘治时期，青花瓷既有优质瓷，也有劣质瓷。景德镇青花瓷的质量就像海浪一样，时高时低。

风靡世界的中国青花瓷

刻有《古兰经》经文的青花瓷

我在考察伊斯坦布尔、德黑兰和马什哈德的中国青花瓷藏品时，看到了很多刻有《古兰经》经文的器物。这些经文用阿拉伯文的艺术字体书写，看起来就像花纹一样。很多瓷碗、瓷碟的底足常常有汉字“大明正德年制”“正德年造”等年号标志。此外，还有一些瓷器的年号用同心圆圈了起来，这种瓷器是中国宫廷专用、禁止出口的官窑制品。

值得一提的是，阿德比尔神庙藏的青瓷大盘。这个大盘直径有58.2厘米，底足刻有阿拉伯文字样。

阿里·阿克巴尔曾在中国住了三年，他将自己的所见所闻著成了《中国纪行》一书，并献给了苏丹赛利姆一世。约翰·波普在调查托普卡帕宫藏的带有“正德”年号字样的瓷钵、瓷碗时，在文章中引用了《中国纪行》记载的土耳其获赠两件中国青花瓷这件事，他认为它们就是托普卡帕宫的这两件藏品。不过，另有观点认为波普先生此说存疑。不过，正德年间的中国与伊斯兰世界的关系比其他时期都更紧密，这一点不容置疑。

正德皇帝15岁登基，31岁驾崩，在位的这十几年间，他喜好玩乐，性格也不同于常人。他热衷于收集各类珍奇玩意儿，或许因此正德帝才下令官窑烧制刻有《古兰经》经文的陶瓷吧。另一个不解之处是，官窑烧制的宫廷用品是如何流散到世界各地的呢？

总之，明政府的确下令景德镇官窑烧制了一批刻有《古兰经》经文的瓷器。当然，这和皇帝不理朝政，宦官独断朝纲不无关系。明正德后期，官窑积压的未完成订单达30多万件，下单日期可追溯到弘治时期。因此，我猜想，这些刻有经文的瓷器原本是要赐给一些立了功的臣子，或者用来回赠伊斯兰世界各国的朝贡使节，结果官员们偷偷加制了一批，自行当礼物送给远道而来的使节。

这些陶瓷中也有伊斯兰商人的订货。对景德镇的画师们来说，阿拉伯文是外文，所以常常写错，瓷器上的《古兰经》因此时常会读不通。

福建漳州窑也烧制了刻有《古兰经》经文的陶瓷，不过是五彩瓷，目前大部分在印度尼西亚。因此我认为景德镇生产的优质瓷出口至中东，而漳州窑生产的劣质瓷则用来赐给南洋各王侯。

清代的瓷碗，底足有格子状纹饰，像围棋棋盘一样，格子里刻有阿拉伯文。伊斯兰世界的人们认为用这种碗喝水能获得力量，故英语称作“魔法碗”（Magic Bowl）。另外，同是清代产的瓷器，上面的经文有一些是用金彩写的，另一些则是用细致的毛雕技术刻的，可见它们在土耳其被二次加工了，目前这些瓷器均藏于伊斯坦布尔。

芙蓉手青花瓷

在青花瓷碟中，无论是大盘还是中碟、小碟，边缘部分都绘有花瓣纹，像是给碟子分区一样。碟子的中间位置绘有人物、山水和鸟类等纹饰。这种瓷器是外销的青花瓷，在日语中写作“芙蓉手染付”，但在中国本土的评价不高，而且也无法精准确定烧制年代，只知道是明末时期。

最近30年，芙蓉手青花瓷的编年研究取得了很大进展，虽然过程不像元青花瓷那么有戏剧性，但事实上芙蓉手青花瓷成了中东陶瓷藏品中的代表，如托普卡帕宫和阿德比尔神庙馆藏的中国瓷器。在欧洲，荷兰东印度公司进口了大量芙蓉手青花瓷，目前在一些博物馆和美术馆等均可见到。可以说芙蓉手青花瓷是16—17世纪这两百年间外销青花瓷的代表，在这一时期风靡世界。

“芙蓉手染付”，即芙蓉手青花瓷，这个名字是日本茶人取的。因为这种瓷器的边缘绘有各种花纹，中间又用线条隔开，看起来就像一朵盛开的芙蓉花。江户时代末期，装瓷器的箱子上会写“南京染付”的字样，即南京青花瓷，这个名称现在已经不用了。欧洲人称这种青花瓷为“克拉克瓷”。“克拉克”是西班牙、葡萄牙、荷兰等国在远洋航海时的大型帆船名，由于这些船运回了很多芙蓉手青花瓷，人们就用船名来命名这些瓷器了。

芙蓉手青花瓷最初的出口地是中东，其样式源自伊斯兰商人向景德镇下的订单。之所以这么说，是因为伊朗的素丹阿巴德（今阿拉克）出土了15世纪的花瓣纹青花钵，这种花瓣纹青花瓷应该就是芙蓉手纹的原型。和其他外销瓷一样，芙蓉手青花瓷在中国本土很少见，但在中东和欧洲一带则有很多留存至今。

最近，学界明确了陶瓷编年研究的几个关键点：其一，阿德比尔神庙的藏品中有数件芙蓉手青花瓷碟，但都产于1611年之前；其二，1613年，荷兰东印度公司沉船“白狮”号（Witte Leeuw）在圣赫勒拿岛被发现，从中打捞了大量克拉克瓷。1595年，“圣奥古斯丁”号在美国今旧金山郊外的德雷克斯湾沉没，船上的陶瓷碎片也属于芙蓉手青花瓷。

刻有年号的芙蓉手青花瓷并不常见。英国收藏家理查德·基尔伯恩收藏了两件刻有“大明嘉靖年制”字样的瓷碟。太平洋战争之后，日本最早收藏芙蓉手青花瓷的是坂野清夫先生，收藏了刻有“大明万历年制”的瓷器。不过，坂野先生已把自己的私人藏品都捐赠给了神户市立博物馆。综上可知，16世纪后半叶至17世纪，芙蓉手青花瓷是中国出口物的代表。

阿德比尔神庙藏的17世纪的芙蓉手青花瓷应该是葡萄牙人以低于阿拉伯商人的价格转卖给阿拔斯一世的，由此推测，他们从转口贸易中获得了相当高的利润。尽管葡萄牙人把芙蓉手青花瓷带回了葡萄牙，但一开始并没有把欧洲作为目标市场。正如我们在介绍欧洲瓷器那一章节中所述。1602年，荷兰在圣赫勒拿岛扣留了“圣地亚哥”号，于1603年在马六甲海峡扣留了“圣卡特琳娜”号，这两艘船都是葡萄牙商船，船上的青花瓷被运回了欧洲进行拍卖，大受欢迎。17—18世纪，荷兰东印度公司几乎垄断了欧洲的中国青花瓷贸易，青花瓷成了欧洲“中国风”热潮的主角。

今天的欧洲随处可见芙蓉手青花瓷，当中以荷兰拥有的最多。荷兰的静物画中常有芙蓉手青花瓷的身影。更有趣的是，伊朗、土耳其、西班牙、荷兰，乃至德国、英国等地都有芙蓉手青花瓷的仿制品，这些仿制品所用的技法各不相同，花瓣纹画得的确漂亮，但和中国的正品还是有细微的差别。此外，仿制品中还用到了当地的颜料。从陶瓷的花纹中，我们可以窥见东西方文化交流史的一斑。正品与仿制品最本质的区别在于，中国青花瓷是真正的瓷器，欧洲仿制品则是低温陶器。

青花瓷与日本

吴须烧

“吴须烧”是日本陶瓷中一个非常知名的品种。18世纪，陶瓷匠人遍布日本各地，其中被誉为“京烧之祖”的奥田颖川，喜欢用红和绿的颜料在陶瓷上画凤凰、花草和唐草纹。之后，京都的粟田口和五条坂、飞驒的涩草烧等瓷窑的陶工也喜欢画这种花纹。直到今天，日本的日常器皿和茶道茶具还会画这种花纹。这种在中国陶瓷花纹基础上再加工的独特纹饰，在日语中统称为“吴须纹”。

“吴须”一词的由来不详。茶人们在箱子上写字时很随性，所以有时写作“吴须”，有时写作“吴州”或者“吴洲”。江户时代，日本实行锁国政策，不过却允许中国的商船在长崎靠岸，日本人称这些中国商船为“唐船”。当时的日本人对唐船运来的中国工艺品（日语中称作“唐物”）非常感兴趣。早在室町时代，日本人就已经对“唐物”爱不释手了，他们有时候会把中国称作“吴州”，因为来日本的中国商船大多从长江沿岸的宁波出发，而宁波又属吴国，所以日本人干脆直接把“吴”作为中国的统称，衍生出“吴州”这个词，而“吴州”的音讹即为“吴须”。

但要注意的是，“吴须烧”不是中国陶瓷的统称，而是指福建的漳州窑生产的贸易瓷。在17世纪初的明万历年间，漳州窑的陶工将目光转向了海外市场，烧制出一系列陶瓷。前文中提到的卖给印度尼西亚富豪的、刻有《古兰经》经文的瓷盘就是漳州窑烧制的。漳州窑用的瓷土要比景德镇等地的稍差一些，坯体也不放到匣钵里，任由沙子落到上面。盘子、碗、钵等的坯体有些歪扭。白瓷上主要是狮子、云朵、游鱼、船只、凤凰、花草等图案，运笔大气、不拘章法，用色多为红色和绿色，偶尔有蓝色和紫色。偏偏就是这种造型新奇独特的陶瓷深受日本人的喜爱。

“吴须”一词还可代指青花瓷上的钴蓝。当一个日本人说“这个吴须的颜色很好”时，指的就是这个青花瓷的颜色。前文中提到的中国本土的土青，在日本被称作“唐吴须”，是颜料的一种。

我认为可能是因为漳州窑烧出了大量青花瓷，日本人就直接用这个词代指钴的颜色了。总之，“吴须”一词有两层含义，一是某类陶瓷的统称，二是蓝色颜料的代名词。

由于出口的漳州瓷是在广东汕头装船的，所以欧洲人称其为“汕头瓷”。明明产自同一个窑厂，却因装船的港口不同，在日本和欧洲有了不同的名称，这也从侧面反映了海上贸易的历史。

漳州窑的贸易对象不只是日本，其中最大的客户是印度尼西亚。1980年，在菲律宾的马林杜克岛附近发现了一艘沉船，船上的货物全是漳州瓷。目前，菲律宾国家博物馆正在对这批漳州瓷进行清点整理。

荷兰在印度尼西亚的殖民统治时期，大量藏品被运回了荷兰。北部吕伐登市的公主陶瓷博物馆藏有大量漳州瓷，数量为世界之最，陶瓷研究者和荷兰人称其为“汕头博物馆”。如果要研究漳州瓷的话，那里无疑是最好的去处。有一年冬天，我在那里考察吴须烧的时候，忽然想到这些陶瓷在中国被制作出来，后又被运到了炎热的印度尼西亚，如今藏在寒冷的荷兰，对此感叹不已。

墨西哥的国家历史博物馆也藏有漳州瓷。这座博物馆从前是一座宫殿，馆藏的漳州瓷无疑是先从中国运到马尼拉，然后再跨越太平洋到达墨西哥。1565—1815年，一支名为“马尼拉大帆船”（The Manila Galeon）的西班牙船队一直活跃在太平洋的贸易航线上。船队在阿卡普尔科港卸下船上的中国瓷器，然后再销往墨西哥城，其中一部分瓷器由于破损被丢弃。墨西哥政府在挖地铁隧道时，挖出了约300片中国瓷器的碎片。之后的分析结果表明，大部分碎片的烧制年代约在明后期至清代的这两百五十年间。此外，还发现了四片日本伊万里青花瓷的碎片。

不仅是陶瓷，东方的其他特产也横跨美洲大陆，到达韦拉克鲁斯，之后装船运往西班牙。把货物运回本国的环球航线有两条，向西航行的以葡萄牙、荷兰为代表，向东航行的国家只有西班牙。

日式风格的青花瓷

日本人很喜欢明末景德镇产的青花瓷，称它们为“古染付”或“祥瑞染付”。我的老师曾告诉我，明末时朝廷势衰，政府的管控无法触及景德镇。官窑没有了朝廷的压力，不需要再被迫烧制指定式样的陶瓷，开始根据自己的需求自主烧制瓷器，[4]陶工们自主烧制的瓷器就是我们所谓的古染付或者祥瑞染付。[5]

留白多，纹饰多为文人风格的人物画、山水画，或者较清晰的印花陶瓷更符合日本人的审美，这种陶瓷才是专门出口至日本的。至于祥瑞染付，都是些诸如瓷壶、筒形茶碗、茶杯之类的茶道用具。祥瑞染付的底足刻有“五良大甫，吴祥瑞造”八个字。对此，日本流传着一个故事。据说一个叫伊藤五郎太夫的日本人去中国学习陶艺，学成回国后发明了祥瑞染付。

实际上，我们可以从荷兰保存的交易明细清单中获知，“唐船”和荷兰东印度公司的船抵达长崎后，根据日本茶人的订单要求用木头制作一个模型，再把它们交给景德镇的工匠依样烧制。

明末清初，景德镇陶瓷业衰退，依靠日本这个邻国的订单才得以生存。综上可知，景德镇陶瓷的种类是非常多的，体量是非常大的。

古染付是一种淡雅的、配合日本“侘茶”的风雅器物，注重“绮丽寂”的美感，而这正是民窑的陶工们最擅长的，所以才能烧出这么多优质瓷。

明朝的衰退与日本的发达

接下来，我想谈一下日本陶瓷业在发展到江户时代的高水平之前经历了怎样的过程。

常言道“空穴来风，未必无因”。丰臣秀吉出兵朝鲜无意中把中国、朝鲜半岛和日本这三地联系了起来，后来荷兰东印度公司也参与进来，这也是日本的伊万里烧会出现在欧洲的原因。

二十多年前，我在文献资料中看到，历史上日本曾从朝鲜半岛抓回一个叫李参平的俘虏。由于他是个陶工，到日本后就被派去烧制陶瓷了。但这实在是大材小用，因为李参平不是一个普通的陶工，而是陶工队队长，会探寻瓷石矿。后来他化名金江，为后代造福铺路，是个非常有才的人。

很早以前，朝鲜半岛就有陶工迁到九州，并烧制出了唐津烧等陶瓷。丰臣秀吉入侵朝鲜半岛时，日本兵在朝鲜半岛根本分不清东南西北，他们很有可能是通过唐津的陶工知晓李参平这个人才的。日本侵占朝鲜半岛的企图失败后，朝鲜半岛一些服务过日军的人希望跟随日本武士前往日本。由此推测，李参平是自告奋勇去跟这群人谈判的。他跟着锅岛藩的武士来到日本后，展露了其探矿的本领。他在九州有田的泉山发现了瓷石层，在此建造了天狗谷窑，这也是日本的第一座瓷窑。天狗谷窑建窑的确切年份不详，推断是元和二年，即1616年前后。

此外，日本北九州的考古遗址中出土了中国陶瓷及碎片，其数量之多，充分表明当时的北九州和中国有贸易往来，尤其是长江沿岸的越州窑。我们有充分的理由相信，越州窑的烧制技术传到了日本。我认为，北九州烧制的壶，壶口根部的弓形是中国式的，而非朝鲜半岛地区的风格。研究伊万里烧的陶瓷学者永竹威先生查阅文献资料后指出，朝鲜半岛地区的人迁到日本后，把之前住在此处的“唐人”赶到了别的地方。我认为，中国陶工在很早之前就定居肥前了。此外，我认为中国陶工移居日本，荷兰东印度公司在背后起到了推波助澜的作用。

丰臣秀吉入侵朝鲜半岛时，明万历皇帝担心中国会受到威胁，因此派兵援助朝鲜李氏王朝。那时候，明王朝渐露颓势。后来，北方的努尔哈赤率军入关。1644年，明朝灭亡。

明朝灭亡使得景德镇的瓷器贸易中断。自1652年起，荷兰东印度公司也没有瓷器可以销售了，遂把目光转向了别处，乘势而起的就是李参平等人始创的有田瓷器。

从江户时代的庆安四年（1651年）起，荷兰东印度公司开始进口有田烧。承应二年（1653年），有田产的2200多件瓷器销往日本之外，其中包括芙蓉手青花瓷和瓷药瓶等。宽文四年（1664年），日本出岛*出口了45000多件陶瓷。

此后，日本的陶瓷业进入高速发展阶段。一开始生产的是芙蓉手青花瓷等“中国风”青花瓷，后来渐渐演变成日本本土的风格。柿右卫门的彩瓷在欧洲打响了名声，有田烧更是畅销全世界——因为装船的港口叫伊万里港，故又得名“伊万里烧”。对当时的欧洲人来说，伊万里烧是一种潮流商品。德国梅森窑一开始烧制的是“中国风”的瓷器，后来很快向日本柿右卫门风格的彩瓷看齐。日本伊万里烧对欧洲陶瓷业有着深远影响。

---

* 出岛，日本江户时代幕府执行锁国政策所建造的人工岛。

* * * * * *

多彩釉：东西交流的结晶

三彩的世界

相信很多人都听过“五彩”“三彩”这些名字，而本章要介绍的就是这些多彩瓷。除白瓷之外，青瓷和天目瓷或多或少都夹杂着一些别的颜色，以上这三种瓷器均诞生在中国，但多彩瓷则和青花瓷一样，是舶来品。

西亚三彩

20年前，伊朗西北部地区出土了一件瓷壶和一件带盖的小瓷盒，釉色均以青、绿、黄三色为主色，推测烧制时间在公元前11世纪初。器身的花纹以花瓣式、几何纹为主，釉药是苏打质地，与胎土的黏着性较差。因此，出土的陶瓷里基本没有品相好的。

公元前6世纪前半叶，巴比伦人用砖石建造城墙和凯旋门，上边还雕有动物和人物造型的浮雕，表面覆有青、绿、黄等釉色。柏林佩加蒙博物馆收藏的伊斯塔尔门在所有陈列品中堪称宏伟之作。

伊朗中部的苏撒古城中有一座公元前5世纪的宫殿遗迹，宫殿墙壁上有用砖石拼成的武士浮雕，这些砖石上覆有同类釉药。在那个时代，普通人建造房屋所用的砖石是经太阳自然晒干的，颜色只有茶色这一种。相比之下，作为王权象征的宫殿，所用的砖石无疑是豪华的，绚烂的色彩让人目不转睛。遗憾的是，这时的釉药不像后来的铅釉，保存状况较差，多处色釉已经脱落，整体看上去破败不堪。

综上可知，中东的三彩釉药出现在公元前1000年左右，埃及的釉药要更早一些，出现在公元前14世纪左右。巴比伦和苏撒的釉药出现的时间比较接近，我原以为这两者源于同一种技术，只是发展的不同阶段而已。让我不解的是，相较于其他新事物，它们的间隔时间是不是太远了？

有学者认为三彩技术源于伊朗，后来沉寂了一段时间，直到数百年后重见天日，其发展轨迹犹如暗流一般，流入地下后再从某处涌出。可是，陶瓷技术讲求师徒传承，协同制作，如果生产进程真的中断了一百年的话，整个行业就中断了。陶工的职业生涯，不管是现在还是以前，最多也就三十年左右。显然，技术犹如暗流的这个说法太过文学性，现实中是不可行的。真相可能是，三彩技术确实失传过一段时间，但在某个时期，一些常跟泥土、釉药打交道的工匠在从事自己本业的同时也掌握了与三彩技术相似的技艺。如果以后我们挖出了三彩技术沉寂期间的瓷器，或许可以从这个角度去思考。

不过，受到今年“丝绸之路”热的影响，当人们看到花纹相似的瓷器时，常常不考虑地区、时代等因素就把两者以一种文学性或历史浪漫主义的口吻联系起来。对此，我觉得十分不妥。况且，我们这些研究历史的人不能像小说家一样，更不能毫无底线地胡说或者推测。

汉代的绿釉

东汉时期的随葬品中有大量包裹着绿色铅玻璃质釉药的器物。我认为这种上釉技术是从西方传来的，但有学者认为中国在同时期也自创了该技术。相信随着考古发掘的不断推进，我们终有一天能得到准确的答案。尽管目前已经出土了大量釉陶，但烧制这些陶器的窑址还是不清楚在哪里。

在中国，绿釉除了用在宫殿的砖瓦上，大部分绿釉器物并不是日用品，而是随葬品。我们在前面有讲到，中国人基本不使用低温烧制且易碎的陶器，他们早就掌握了高温烧制硬质陶瓷技术，并把这些瓷器用作日常器具。中东地区的人们还没有掌握用800℃以上的高温烧制硬质陶瓷的技术，只能用绿釉陶器。公元前2—3世纪的安息帝国时期，当地人掌握了在绿釉中加入铜系金属的技术，烧制出大量类似铅釉的绿釉陶器。

中国传统的随葬品原本是青铜器，有学者认为绿釉因为看起来像青铜器上的绿锈，所以深受中国人的喜爱。釉药的原料是混有铜的玻璃粉，将其涂抹到陶器上再入窑烧制，器身就会覆上一层绿釉。我认为绿釉技术源于西方，途经中亚或海路传到中国。

绿釉埋在地下时，其表面会发生氧化现象，形成一层银白色或近似彩虹色的闪亮薄膜，这种颜色在欧美被称为“彩虹色”，日本人称其为“银化”*。日本人十分喜欢这种古色。

---

* 中国陶瓷界一般称之为“返铅”。——审校者

东汉

绿釉陶钟

台北故宫博物院藏

唐三彩之谜

色彩斑斓的唐三彩并非日常用品，而是随葬品，它们的造型类似雕塑，从人物像和动物像（中国人称作“俑”），到有西域风贴花纹的瓷壶，种类颇多。世界各地的博物馆、美术馆及收藏家都热衷于收藏唐三彩，尤其是像英国这样喜欢赛马运动的国家，对20世纪初出土的唐三彩马更是倍加喜爱。中亚骆驼商队的骆驼及胡人，承载了人们对“丝绸之路”的想象，这些元素在日本很受欢迎，而日本人对唐三彩的喜爱程度丝毫不亚于对“丝绸之路”的喜爱程度。

绿色、褐色和蓝色是唐三彩的三大主色（在中国，一般认为其主色为白色、黄色和绿色），但也有人钻牛角尖，说某些三彩陶的绿色是在白底上用白化妆技术涂制的，不能归入这一类别，严格地说，它只是一彩或二彩。一彩也好，二彩也罢，习惯上我们还是称它们为三彩。蓝色由于用的是波斯进口的氧化钴（回青），数量稀少，所以不常见，人们给蓝色的彩釉陶瓷专门起了个名字——蓝彩。

唐三彩谜团重重。如前所述，汉代绿釉之后的很长一段时间，这一技术消失了。到了8世纪的唐代，多彩瓷突然间多了起来，盛唐一过，又销声匿迹了。

之所以会这样，有观点认为原因在于唐代时中国人的日常用具主要是白瓷、青瓷之类的硬质陶瓷，三彩只用作陵墓的随葬品，所以看起来数量就多了。后来朝廷发现葬礼和陵墓修建得过于奢华，便下发禁令，要求一律从简，致使三彩一下子消失了。10年前，河南省文物

唐

三彩仕女骑马俑

纽约大都会博物馆藏

考古研究所在河南巩县发现了烧制三彩瓷的窑址。目前出土的三彩多在西安和洛阳，很难想象这两地的三彩均产自河南巩县，希望日后能有更多窑址被发现，这样就能给我们答案了。

从美学的角度来看，三彩瓷确实很好看，常被视为唐代陶瓷的代表，但唐三彩属于多彩瓷，且这一技术源于西方。不过这只是推测，因为同时代的波斯就没有发现能证明是唐三彩原型的器物，而内沙布尔三彩是9—10世纪的器物，晚于唐三彩。自吉布耶三彩和巴比伦三彩之后，唐三彩身上的迷雾到现在都没完全消除。

唐三彩的传播

虽然唐三彩在中国不是日常用具，但在其他地方就不一定了。开罗福斯塔特遗址出土了带脚三彩盘的碎片，印度尼西亚也出土了有唐代风格的绿釉壶。

在日本奈良时期曾繁荣一时的寺庙和都城遗址中都发现了三彩碎片，比如奈良的平城宫遗址、奈良的大安寺等地，这些碎片质量上乘，形状和纹饰风格明显受到了西域文化的影响，想必当时的日本人很爱这种风格。正仓院的盘、鼓身等陶瓷明显是在模仿唐三彩，以绿釉为主。这种陶瓷产于8世纪，日本人称之为“正仓院三彩”或“奈良三彩”。这一烧制技术经由渤海国传到日本，所以渤海国人也习得了烧制此类陶瓷的技术。

绿釉的基本成分是铜，但最近的分析结果显示中国的绿釉和日本的绿釉不是同一种。由此推测，唐三彩传到日本后，日本人因地制宜地烧制出带有本土风格的三彩瓷。

9—10世纪，在今伊朗东部，“丝绸之路”上的重要城市内沙布尔烧制出“波斯三彩”。10世纪，中国的辽朝建立，当时烧制的三彩瓷称为“辽三彩”。12世纪时，今中国华北地区的河北等地在金国的统治之下，自此到元代建立的这段时间烧制的三彩瓷统称为“宋三彩”（最近学术界把金国地区烧制的三彩瓷称为“金三彩”）。这些三彩瓷和唐三彩一样，以含铜的矿物作绿色颜料；黄色是含锑的矿物颜料，所以颜色较深；至于蓝色，用的是含钛和锰元素的矿物颜料，而非以往的钴蓝，所以成色呈紫色。

三彩瓷广泛分布于中国的华北地区到中亚、中东一带，是同样的土层和水结合的产物，而且三彩瓷的分布范围和古时骆驼商队的贸易路线重合，相信两者之间必定存在某种关联。此外，三彩瓷的烧制技术的传播路线就像打乒乓球一样，你来我往、相互影响，因此东西方都出现了同类器物。

至于用画笔在陶瓷上绘出黑、红、绿、黄等颜色的花纹，这一现象在波斯和中国都很常见，所以可见这一技法也是自西向东传播的。

景德镇五彩瓷

多彩釉

当白瓷器身上出现其他颜色的描纹时，这种白瓷在日语中称作“色绘”。在中国，因为主要用红、绿、黄、紫和黑这五种颜色

清 康熙

五彩花鸟纹花盆

台北故宫博物院藏

描画花纹，所以称为“五彩”。五彩的“五”和三彩的“三”一样，是“多彩”的含义，而非限定为五种颜色。另外，五彩瓷上色时多用红色，尤其是16世纪时明代的五彩瓷，以红色为主色，故在日语中又称为“赤绘”。

日语中把景德镇的五彩称为“上绘付”，即釉上彩，与之相对应的是“下绘付”，即釉下彩。上下之分取决于中间那层透明的玻璃质釉。青花瓷是先用画笔蘸取钴蓝描画花纹，然后覆上釉药，再用1300℃的高温烧制，故是釉下彩。在此需要说明一下为什么我们会把唐三彩归类为陶器而非瓷器。因为绿、黄、红等颜料在1300℃的炉温下会变色，所以最初使用的底器只有白瓷，后来因为发现了耐1300℃高温的钴蓝，才出现了青花瓷。

人们在绘红、绿、黄等彩色花纹时，需要先用黑色描出轮廓，再入窑烧制，这时的炉温不能高于800℃，因为只有低于这个温度，不耐高温的颜料才不会变色，彩色花纹才能被黑色的边框挡住，定格在器身上。因为要入窑两次，所以日语中称之为“二度烧”或“上绘付”。此外，因为第二次烧制和第一次烧制时用的窑炉不同，即第二次是真正的高温烧制，烧出的颜色更美，所以第二次用的窑炉被称为“锦窑”或“釉上彩窑”。

景德镇烧制釉上彩的时间在15世纪初的明宣德年间。之后，历经成化、弘治。15世纪末时，五彩瓷的产量大增。我在景德镇时未能找到锦窑的窑址。考虑到明清时期的五彩瓷产量，假如真能找到窑址，相信很多疑点都能解开。

虽说中国文化有许多个侧面，但相较于黑白朴素的器物，中国人似乎更喜欢色彩缤纷、奢华绚丽的陶瓷。从那以后，景德镇烧制的五彩瓷越来越多。

其实早在景德镇开始烧制釉上彩之前，北方的磁州窑在金代、元代时就已经有釉上彩陶瓷了。此外，12世纪时的波斯人也掌握了使用有色玻璃让玻璃器皿上呈现彩色花纹的技术，这一技术被用在了陶瓷上，就是后来的七彩陶。我认为这种釉上彩技术源自西方，之后传到磁州窑，15世纪时在景德镇成为一种烧制定式。

豆彩、古赤绘、金襴手

清代的陶瓷学者对景德镇的陶瓷历史进行了一定程度上的美化。

15世纪末的明成化年间，中国对波斯钴的进口量减少，青花瓷的蓝色开始变淡，绿、红、黄等颜色也变淡了。传说因为这种绿色同豌豆的颜色相近，故称为“豆彩”，但也有人说豆彩之名源自斗鸡纹小瓷杯，“豆”是“斗”的误传。

据我所知，从成化到弘治、正德年间，即15世纪末到16世纪，官窑青花瓷所用的蓝色颜料是回青，青花瓷的数量比五彩瓷多得多，而且大多是外销瓷。[1]在16世纪前半叶，景德镇开始生产名为“古赤绘”的五彩瓷，这种瓷器的纹饰线条较粗，远销至伊斯坦布尔的托普卡帕宫。

16世纪中期，即明嘉靖年间，人们尝试在五彩瓷上金彩，这种瓷器看起来犹如金襴绸缎般华丽，因此日本人把这一时期的所有五彩瓷——不管有没有金彩——统称为“金襕手”。

16世纪末到17世纪初，即嘉靖至隆庆、万历年间，景德镇官窑迎来了鼎盛时期，烧制出各种颇具特色的釉上彩。但是，正如我们一开始所说，中国陶瓷学者的记载和实际的考古发掘之间存在差异，日本人对于“古赤绘”和“金襕手”的分类也存在问题，双方都有一定的主观性，不过这也是其中的有趣之处吧。

此外，这一时期的陶瓷上多刻有追铭，如“大明宣德年制”“大明成化年制”“大明嘉靖年制”等。此类追铭在日本的伊万里烧和京烧中也可见，不过铭文中所记的年份不是真实的年份，而是明清时代的后人们猜测这些优质瓷是这段时间烧制，故而追加上去的，因此得名“追铭”*。英语中称追铭为“apocrypha”，有伪作之意。因为记载的年号和真实制造年代不同而被称为赝品，所以称为追铭，以及憧憬那个年代，便将之刻在器皿上，因此这两种观点的视角有所不同，所以感受也不同，但我认为用东方思维去欣赏追铭不失为一个好方法。

清代多彩釉

伴随着明清交替时期的社会混乱，景德镇进入了短暂衰退期。到了康熙、雍正、乾隆时代，景德镇焕然一新，尤其是御窑，在督陶官的努力下烧制出了新的优质瓷。

---

* 中国陶瓷界一般称之为“寄托款”。——审校者

清 乾隆

粉彩四季花卉小瓶

台北故宫博物院藏

一直以来，釉上彩陶瓷的很多釉药都有一定的透明度，而现在人们掌握了用不透明颜料在瓷器上绘画的技术。前者叫硬彩，后者叫粉彩或软彩。粉彩瓷的颜料含有不透明的珐琅质，用纤细的毛笔在瓷器上画的图案，其呈现出的颜色和在丝绸或者纸上的效果一样，有着某种微妙的质感。

在中国接受西方文明洗礼的那段时间，中国的绘画也跳出了传统的框架，欧式的写实风图案出现在了陶瓷上，当中以古月轩瓷为代表。"古月轩"这一名称的来源众说纷纭，有人说古月轩原是乾隆帝宫中的一座建筑，由于里面藏有大量写实风陶瓷，人们随即用建筑物的名称命名陶瓷；也有人说古月轩里除了写实风陶瓷之外，还有很多优质的古代陶瓷。此外，还有人说是因为一个胡人擅长在玻璃上画花纹，古月轩瓷即是模仿这种玻璃器皿。不管怎样，这一时期中国瓷器的颜色变化完全走上了一个新方向。

古月轩瓷的颜色比传统的五彩瓷更艳丽，红色用的是欧洲进口颜料，中国本地不产这种颜料，而且瓷器上的图案也更加精致，甚至出现了夹彩纹和底色雕纹陶瓷——日语中称为"浊手"，英语中称为"soft paste"。在白色瓷胎中加入不透明且耐高温的伟晶岩颗粒，由此调配出白色，然后再在上面画花纹或其他图案。

青瓷和釉里红技术在清代时发展到顶峰，此时的中国陶瓷走上了追求技术革新的道路。不过日本人完全无法理解其中的色彩搭配。当然，这跟审美眼光和民族喜好的不同有关，不能简单断定孰好孰坏。

* * * * * *

曜变天目：回归黑色

曜变天目是怎么来的

平民陶瓷

人们把陶瓷表面的那层黑色或茶褐色的釉称作“天目釉”。天目瓷不仅在中国，在日本、泰国、越南和朝鲜半岛地区都很普通，是名副其实的平民陶瓷。尽管天目瓷属于优质瓷，但其产量要远远高于白瓷、青瓷和青花瓷。可以说，天目瓷的流行是一种向平民的回归。

“天目釉”这个名字是怎么来的呢？日本自镰仓时代起，有很多僧侣在浙江天目山的禅寺修行。茶碗是禅寺用来供奉佛祖的其中一种器皿，后来一些日本僧侣把它们带回了日本。

日本人对这种茶碗珍视不已，称之为“天目”，而茶碗上的那层黑色或茶褐色的釉则被称为“天目釉”，后来一传十，十传百，“天目”之名传遍世界。近年来，在欧美的陶瓷书刊中常见“Tenmoku glaze”一词，这里的“glaze”即是釉药的意思。

日本人把所有茶碗造型的天目瓷统称为“天目茶碗”。但在专业茶人眼中，天目茶碗的定义则有所不同：茶碗的开口要稍稍向下，表面要有小坑洼，看起来就像一道道沟洫，专业术语为“撇口”；碗的底足不能太平整，要稍向内倾斜，还不能太高。外形上满足上述条件的即是“天目茶碗”，至于茶碗本身是青瓷还是青花瓷就没有那么重要了。换言之，“天目”一词包含了釉药颜色和器物形状两层含义。

事实上，浙江天目山的禅寺里没有窑厂，天目茶碗的主要产地是浙江不远处的福建建窑，著名的建盏就产自那里。“盏”在中文里指的是小酒杯，但在日语中和“茶碗”同义。

1935年，密歇根大学的普卢默博士在考察建窑窑址时，发现天目茶碗的原产地在建宁府水吉镇（今福建省南平市建阳区水吉镇）。四十多年前，我还是学生的时候，有幸听了一场普卢默先生的讲座。台上的普卢默像魔术师一样，从行李箱里拿出一片又一片用毛衣包裹着的陶瓷碎片，台下的我都看呆了。那些碎片颜色各异，既有烧得很好的，也有发生了窑变甚至生烧的，这给我留下了深刻印象。那时候的我默默下定决心，以后也要像普卢默先生一样亲自到中国去考察窑址。

建窑窑址的考察结果表明，建窑除了碗之外基本不烧制其他器物。建窑碗烧制的标准尺寸是直径12厘米，小号碗的直径是8厘米，烧出来的碗主要用于日常，产量也很高。建窑生产的碗被寺院买入，当中有一部分后来被日本僧侣带回日本。日本茶人认为建窑碗在尺寸上最适合用来当茶碗，而且造型典雅，比其他茶碗更胜一筹，将其视如珍宝，只有在“台子点前”“贵人点前”这些特殊茶道程序中才会使用。

还有一种天目茶碗的独特之处在于，碗身上那一道道竖条茶色细线状纹饰，看起来像帘子一般。中国人把这种茶碗称为“兔毫盏”“兔毛斑”或“黄兔斑”，取其像兔毛一样柔软纤细之意，在日本被称作“禾目”。

最近的研究结果显示，除了建窑之外，福建的建瓯县（今建瓯市）、泰宁县、松溪县、崇安县（今武夷山市）、宁德县（今宁德市蕉城区）、光泽县、建宁县、福清县（今福清市）和泉州等地，甚至广东的一些瓷窑都烧制过兔毫盏。北宋时期的景德镇也烧制过一段时间的天目釉小碗，我曾在湖田窑找到了一些碎片。综上可知，天目瓷并非特殊的陶瓷。

天目釉

我们此前曾多次引用《天工开物》中的内容，里面对制作釉药记载如下："凡锈质料随地而生，江、浙、闽、广用者蕨蓝草一味。其草乃居民供灶之薪，长不过三尺，枝叶似杉木，勒而不棘人。陶家取来燃灰，布袋灌水澄滤，去其粗者，取其绝细。每灰二碗参以红土泥水一碗，搅令极匀，蘸涂坯上，烧出自成光色。"

蕨蓝草是一种无刺的蕨类植物，常见于中国的华中、华南地区的山区。虽然名字里有个"草"字，实际上长得很高，燃烧后的灰烬可用作釉药的原料。蕨蓝草灰不同于北方的木灰，《天工开物》中记载其可与含有铁元素的红土混合。最近，矾土因为被发现含稀有金属元素受到人们的关注。蕨蓝草灰和这些土混合后调制出的釉药，因含有铁、锰和其他稀有金属元素，从而呈现出黑色或茶褐色的颜色，这是天目釉最常见的底釉。由此可见，它并非珍稀奇特的原料，而且矾土在中国也是随处可见的。

天目釉中的铁元素越多，成色就越接近黑色，反之，则呈茶褐色。有一种天目釉的成色很像熟透了的柿子，而且是熟透之后又放了一段时间的那种茶褐色，日本人把这种天目釉称为“柿天目”。

上文中提到的兔毫盏所用的天目釉就包括多种不同含铁量的釉种，含铁量不同，成色也不同。例如，定窑天目和河南天目上有一些斑驳式样的花纹，看起来像用毛笔胡乱涂画上的，这种花纹称为“铁锈纹”。又如把槁灰、高粱灰、豆灰与铁釉按比例涂在不同的部位，从而呈现出鳖甲色的花纹，这种茶碗称为“玳瑁盏”。

如今的陶瓷业把扬州等地的民间剪纸工艺都用上了。他们画图时，先在茶碗上涂一层黑色釉药，然后贴上凤凰、梅花和带有“吉祥”字样的剪纸，覆上鳖甲色的釉药，晾干后撕掉上面的剪纸，再入窑烧制，这样就能得到和剪纸一样的花纹了。另外，如果器身上涂的是褐釉或白浊釉，贴上剪纸之后，再会覆上含铁量较高的黑釉，晾干后无须撕掉剪纸，可直接入窑烧制，剪纸非但不会被烧成灰，反而变成一道黑色花纹被定格在陶瓷上。如果用树叶来代替剪纸，烧出来的瓷碗更受茶人们的欢迎，它们被称为“树叶天目茶碗”。

由于这些茶碗产自江西吉安县永和镇，所以我们称之为“吉州窑”。唐末五代时期，吉州窑主要烧制白瓷，尤其是凤凰头饰的瓷壶最具特色。到了南宋时期，建窑的陶工搬到了吉州窑，当地的天目瓷产量大增。吉州窑白瓷是唐代至五代期间的古物，天目釉玳瑁盏的时代则更靠后，属于南宋时期的器物。

我想就铁与釉药的话题再多说一点。釉药的含铁量越少，成色就越接近黄褐色，明弘治年间的黄釉就是含铁量少的釉种。后来人们调釉时混入了矿物锑，调出来的釉药则呈深黄色，如果其中含铁元素的话，黄色会稍淡一点。

如果含铁量较少，仅占1% ~ 2%，烧出来的就是青瓷。但是正如我们在青瓷一章中所说，由于还原反应的程度不同，青瓷的颜色从褐色、草绿色、粉青色到青绿色，各不相同。此外，时代和产地不同，成色也各有差异。混有金色的褐色青瓷被称为“金青瓷”，印度尼西亚的古董商把这种青瓷说得异常珍贵，价格也十分昂贵，其实它们是失败之作，和黄金也没有任何关系。

制作釉上彩时还会用到一种含铁元素的红色颜料，这种颜料不在釉药之中。据说，柿右卫门倾注了很大心血才从精炼氧化铁中调制出适合的柿红色。由此可见，陶瓷的色彩和铁元素之间有着千丝万缕的联系。

曜变天目茶碗

日本的国宝曜变天目茶碗，在这里，我是一定要提的。如前所述，福建建窑烧制了大量茶碗，当中有一些在窑炉中偶然间产生了美妙的变化，形成了犹如夜空中七色星辰般的花纹。因为这种变化是在窑炉中产生的，故称为“窑变”，后被误传为“曜变”。

据室町时代的《能阿弥相传集》中记载，曜变是天下稀有之物，尤其是豹皮色（指斑纹），乃建盏中最优。《君台观左右帐记》中也有记载，曜变是建盏中的极品，世上再无茶盏可与之相比，漆黑的器身上泛着点点星光，颜色黄白相间，既有颜色稍深的，也有琉璃般的浅色，看上去如缎锦一般，价值连城。可见曜变天目茶碗之美直击日本人的内心。

大正七年（1918年），静嘉堂以16.8万日元的高价从东京美术俱乐部购入曜变天目茶碗。由于这个茶碗原是稻叶家的传家宝，所以现代人称其为“稻叶天目”。以当时的物价水平竟能卖出这个高价，可见天目茶碗是多么受欢迎。京都的大德寺龙光院、大阪的藤田美术馆及东洋陶瓷美术馆也藏有曜变天目茶碗，但无一例能超越稻叶天目。

曜变产自建窑，人们当初想要烧的是兔毫盏，结果偶然间发生了一些意外，反而烧出了星辰般的花纹。中国陶瓷业的发达是建立在无数次实验和机缘巧合之上的，人们有意识地寻找新材料，调制特别的釉药并批量生产。那个时代没有今天的科学分析技术，人们只能慢慢摸索，积累经验，最终谱写出一部伟大的中国陶瓷史。可是，建窑没有实现曜变陶瓷的批量生产。或许他们在尝试了几次之后，还是没能解决技术上的难题。另外，还有一种可能是虽然曜变的成色很美，但是依旧被视为失败之作，未能得到重视。

日本藏有四件曜变天目茶碗，中国国内却一件都没有。我认为中国人肯定也觉得曜变天目的成色是美的，所以他们才没有弃之不顾。不过，假如他们真的觉得曜变天目的成色很美，那么建窑肯定在某段时间也专门烧制过这种陶瓷。就像釉里红这种含不稳定铜元素的瓷器在一开始也失败了很多次，随着技术的进步，直到清代才慢慢稳定生产。

由能阿弥和相阿弥合著的《君台观左右帐记》是探索日本室町时代人们对艺术品理解的重要参考文献。书中把天目分为曜变、油滴、建盏、乌盏、鳖盏、能皮盏和灰被七种类型。在前文中我们说过，中国出口的生烧青瓷中包括不合规格的劣质天目茶碗。但是把灰色的生烧陶瓷命名为“灰被”，而且对此爱不释手，这事只有日本人能干得出来。

“油滴”一词在书中出现过几次，其实它也是窑变的一种。锰是主要元素，混合了铁和钴，烧制时形成的结晶散落在茶碗上，呈现出银色的美丽斑点。遗憾的是，建窑未能批量生产这种油滴釉。不过山西怀仁窑和山东博山窑成功实现了油滴釉的批量生产，掌握了人工控制釉药和烧制技术。

马达班壶

中国制造的器物中有不少是日常生活中常用的容器，比如各种尺寸的壶，数量众多，远销海外。尤其是黑色或褐色的天目釉，其中肩有四耳的大壶被人们统称为“马达班壶”，学术研究上称其为“黑釉四耳壶”。这种壶样式繁多，体积较大的宽和高达150厘米，形状各异，从圆球形到两肩张开及细长的造型。

大壶可用作水缸，不仅能放在屋内，还能放到船上使用。在没有金属和塑料制品的时代，如果室外的湿度较大，人们会把香料、谷物、粮食和茶叶等储藏在里面。这和日本古代“种壶”的功能一样，即用以保存谷物的壶。日本战国时期，即日本和南洋之间贸易繁荣之时，日本人从吕宋（今菲律宾）带回一种水缸，他们称之为“吕宋壶”，用作茶壶，在当时极为珍贵。

那么“马达班壶”这个名字是怎么来的呢？缅甸仰光以南有个叫马达班的小镇，位于马达班湾。我们可以在地图上看到，马达班港在马来半岛附近。

历史上有一段时期，马六甲海峡海盗猖獗，商人们害怕被劫，遂改由马来半岛的陆路运送货物，甚至传说有商队用大象拉着整艘船横穿克拉地峡。因此，印度洋海域的马达班港就成了贸易中心港，而在港内装船的中国陶瓷由此被统称为“马达班陶瓷”。我曾问一个土耳其人“青瓷用土耳其语怎么说”。他说：“马达班，又叫马尔达巴尼。”托普卡帕宫藏有大量青瓷器皿和青瓷壶，还有体形较大的黑褐色釉四耳壶。

伊本·白图泰在游记中写道：“我在马来半岛时，女王赐给了我一个马达班壶，里面装着腌菜。”壶一般是用来装航海的应急食物的，至于白图泰获赐的是壶，还是壶里的腌菜，就不得而知了。

缅甸仰光境内有伊洛瓦底江等几条河直通中国云南，河水甚是污浊，但在马达班一带的河段却是清澈的。传说，这里有可以涌出淡水的泉眼，用马达班壶保存的话不易变质，横穿印度洋的所有船只都在这里补充饮用水，马达班壶的名声便由此传开。

这些传说的真实性有待商榷。但是正如我们在本书开篇所述，在世界各地的古代国际贸易港遗址和沉船中都发现了茶褐釉四耳壶的碎片，甚至还有完整的壶。印度尼西亚沉船中发现的马达班壶数量远远多于其他地方。这些壶很可能不是用来交易的，真正的交易品是壶中装的香料、茶叶和酒等，但具体是什么已无从查证。日本正仓院收藏的越州青瓷药罐肩部也有耳，也是马达班壶中的一种。

生产马达班壶的窑址不详。人们曾在广东佛山的石湾窑郊外发现了烧制马达班壶的窑址。不过，考虑到天目釉瓷遍布中国各地，由此推测中国广西和越南北部都有不同品种马达班壶的生产地。

烧制年代和产地各异的马达班壶虽然变化不大，但它的釉色也并非是单一的。相信在不久的将来我们能获得更多的相关信息。我个人观察所得，马达班壶的分布范围从伊斯坦布尔西部到伊朗、印度、东南亚和日本，也就是说，“海上丝绸之路”沿线都有马达班壶的身影。

* * * * * *

陶瓷的美学

陶瓷的美学

自我从学生时代迷上陶瓷起，迄今差不多四十年了。那时候我对陶瓷一无所知，后来承蒙诸多前辈和古董商朋友的帮助，得以去各种展览会参观实物，从中学习到了很多陶瓷的鉴赏方法和历史知识。之后，我访问其他国家，一个新奇而广阔的世界瞬间展现在了我眼前。随着新发掘工作和调查研究的不断推进，国际的陶瓷学者的理论和价值观发生了转变。尽管当前存在着局部战争，但世界局势总体上是和平的。例如，现在我可以乘坐飞机去其他国家旅行，其间还坐了几次船，在战争中长大的我从没想过有一天能自由地在世界各地旅行。

通过对比分析其他国家的中国陶瓷馆藏、出土有中国瓷器碎片的遗址，以及各国本土产的陶瓷，我发现陶瓷的传播路径跟我最初设想的完全不同，由此我学会了从另一个视角去思考陶瓷这个领域及其发展史。

话虽如此，但我终究是个日本人，对茶道，尤其是茶碗有一定了解。因此，我想就“日本人的陶瓷美学”这一话题谈谈自己的看法。

我觉得茶碗的形状、姿态和触感等因素融合在一起，形成了一个小宇宙。一些茶碗在烧制时有一部分会变红，于是刻上“红叶”的字样；还有一些茶碗上会形成几条竖条的白线，于是有了“时雨”的字样。花瓶、茶釜和茶勺上也刻有铭文。以茶室墙上的挂轴为中心，人们一边欣赏艺术品，一边讨论铭文，赏玩着各种茶具。和志同道合的茶人们齐聚一堂，时间不知不觉就过去了。例如，看到红色的陶瓷，会想到秋天赏枫的场景，这就是日本人的茶道文化。

日本人对茶碗有着独特的看法。想象一下，假如把国宝喜左卫门井户茶碗放到你面前，旁边还有几个类似的茶碗。人手一个茶碗，就像人手一个苹果。人们可能会说“我的苹果红得漂亮吧”“不不不，我的苹果有树叶形的痕迹，你看这个红色的地方，还有树叶的印迹呢”“我的虽然是青苹果，但青色才是年轻人纯真的象征啊”。比拼苹果的状况和人们欣赏茶碗的方式十分相似。但仅从一个角度观察是不够的，必须从整体上全面把握。

丰臣秀吉和千利休都是杰出的人物。他们在意见存在分歧时，会用茶碗表达各自的观点。其他客人对茶碗也有着各自的理解。随着时间的流逝，人们的心境逐渐平和，茶具的加成效果发挥出来，人们得以畅游在自由的精神世界里。不知道从什么时候开始，我觉得“茶道”就应该是这个样子的。你在伊朗的沙漠中随便放个茶碗，茶道的“小宇宙”是不会出现的，因为伊朗人觉得清真寺的砖瓦才称得上美丽。

茶碗是茶道的核心，形状、釉药、手感和口感等方面也很重要。但是几乎所有的陶艺家在烧制陶瓷时都会说“进了窑炉的茶碗得神灵亲自用火烧才美”。由此可见，制作者的因素占三分之一，窑炉中火焰带来的变化占三分之一，出窑之后的其他因素占三分之一，满足所有条件的茶碗才是好茶碗。于是，为显示茶碗的贵重，人们会召集同行，当面开窑，打碎那些不合心意的茶碗，只留下很小一部分。留下来的茶碗的确很美，但如此一来，判断茶碗好坏的决定权就不在制作方了，而在于鉴赏方的审美。当然，陶艺家自身也得有一定的鉴赏力。

正如天目茶碗那一章所写，日本人将曜变天目和喜左卫门井户茶碗视作国宝，正是日本人独有的审美。我在讲述陶瓷业的分工时谈到，假如中国的陶工在每一道工序中都寄希望于偶然的变化，可能什么都烧不出来了，毕竟日本人的审美和中国人是不同的。对日本人来说，中国官窑烧制的那些完美陶瓷看上去太威严了，观赏时得严阵以待，不然气势上就输了，反而那些稍有缺陷、上色不均匀的陶瓷能给人一种柔和感，可以慢慢把玩，感受其中的侘寂。

一直以来，比起新建的土墙，日本人更喜欢墙面稍有剥落的老墙，总觉得这才有味道。比起人工制品，日本人更喜欢风雨这些自然现象带来的变化，将其视为美，即我们所谓的“古美术”。欧美国家的博物馆千方百计地修复文物，尽可能地将它们还原成过去的样子。但在日本博物馆中，青铜器得先从锈色开始说起，银器也是从熏银说起。釉面玻璃化的瓷器和银化的绿釉才是日本人的最爱。

我到国外之后，才发现原来日本人有着独特的审美视角。日本虽然深受中国文化的影响，但不是对所有的中国事物全盘吸收，我们现在常见的东西都是先人们精挑细选的。当我第一次知道这件事时，大吃一惊。

我在欧美常常遇到一些人，他们不是中国人，但不管是思考方式、审美观还是其他方面都和中国人如出一辙。我现在最困惑的一点是，无论是日本还是中国的陶瓷学者，抑或是欧美的陶瓷学者，似乎纷纷化身成选美比赛的评委，倾尽全力找出一些能超越前人的陶瓷。正如正文中所述，历史上的中国陶工既烧制了优质瓷，也制作出一批劣质瓷，两者都曾出口至世界各地。我觉得讨论中国陶瓷时，有必要把这些外销瓷也纳入进来。可惜的是，这层思想差异的壁垒实在太厚了。

陶瓷于我

想想还真是神奇，我为什么会如此着迷于陶瓷，满世界跑就为了搜集几块碎片？我觉得吸引我的是陶瓷的造型，那既不属于绘画艺术，也不属于雕刻艺术，而是陶瓷本身具有的日常用品功能带来的亲近感。我从小时候起就开始学画画，现在还时不时地出去写生。我去博物馆的时候会把里面的陈列品描画下来，不过这时候是工作需求，与其说是画画，倒不如说是在做图像笔记。所以，现在我外出的时候都会随身携带一本素描本。不过，一动不动地站在展示柜前临摹藏品实在太辛苦了。

伦敦的维多利亚和阿尔伯特博物馆内有个小陈列室，称其为小黑屋也不为过。过去，我每天都到那里临摹，持续了一个多月。

完成的那天，我跟已经脸熟的黑人保安大叔说“终于完成了”，他回了我句“干得好，祝你好运”，还主动跟我握手。

另外，手触摸到陶瓷时的那种冰冷触感也吸引着我，尤其是瓷器。所以，尽管我知道乐烧茶碗、萩烧茶碗和朝鲜半岛的井户茶碗都是好东西，但它们却不是我的最爱。最吸引我的还是那冰凉的触感，即使是碎片，只要能触摸到那份凉意我就很满足了。

在漫长的岁月里，我因为见到并亲手触摸了很多陶瓷，练就了只要看一眼展柜中的藏品就能猜得出其触感的本领。我摸过很多陶瓷藏品，其中伊斯坦布尔的约40件，德黑兰的约35件，分别是元青花盘、钵和梅瓶，还有印度图格鲁克宫遗址出土的约70件瓷器。身为一个陶瓷研究者，尤其是元青花瓷的研究者，这是件很值得骄傲的事。

我想自己被陶瓷迷住了，不然的话，我也不会在五十多个国家之间飞了上百次。有时候我躺在酒店的床上，望着天花板叹气，但之后会对自己说叹气起不了什么作用，倒不如把这些看作收集史料之旅。

奈良的国立博物馆在1946年举办了第一场正仓院展览，当时还是学生的我在冷雨中排了好几个小时的队。进入展厅后的那种兴奋是无以言表的，我真心觉得要了解日本文化，要先去了解中国文化。可是有时候我又觉得自己是不是太沉迷中国文化，尤其是中国陶瓷，以至于忘了自己国家的文化。好在随着年岁渐长，我意识到自己终归是个日本人，还是会回归到日本文化中来的。

身为一个喜欢中国陶瓷的日本人，我最喜欢的既不是青瓷，也不是白瓷，而是青花瓷。偏偏世界上分布最广的陶瓷就是青花瓷，而且各个地区还有很多青花瓷仿制品。我觉得自己是幸运的，不管去哪里，都能找到自己想研究的青花瓷。

中国那些美丽的陶瓷吸引我的同时，仿佛又在提醒我好的艺术品的诞生与收集都需要以权力和财力做后盾在这一点上，无论是历代帝王、贵族、僧侣、富商还是现代人都一样。即便是公立博物馆和美术馆，其中最好的陶瓷藏品也是私人收藏品。艺术品的鉴赏力只能持续两代人，到了第三代人，如果没有进行专门训练的话是无法拥有真正鉴赏力的。光靠金钱搞不懂艺术品，但矛盾的是没有钱，就搜集不到好的艺术品了。

陶瓷的价值是什么

最近的陶瓷市场上中国陶瓷的价格越炒越高，收藏中国陶瓷的人也多了起来。我曾和几个收藏家针对这一现象进行了深入探讨，这里我想分享一下我们之间的谈话。

他们常常会问我："虽然我懂绘画艺术，但是陶瓷要怎么区分好坏呢？"我认为，陶瓷的美在于三大因素，一是形态美，二是釉色美，三是便于使用。

可是，最近人们似乎不太看重第三种"使用之美"，陶瓷渐渐被当作单纯的艺术品。身为一种实用工艺品，却被放到了鉴赏的世界。当然，中国陶瓷的确很美，又因为数量有限，弥足珍贵，所以能卖到高价。可是我总觉得用值多少钱来判断艺术品的好坏是欠妥的。

有个收藏家买了一件波斯古董，问我是不是买贵了。我打趣地说："古董出土的时候不就是一块石头嘛，盗墓贼都帮你把古董凿出来了，你总得给点辛苦费啊！"这和前文中提到的伊朗某地村长去德黑兰卖古董的情景一模一样。

还有一个收藏家邀请我去做客，名义上是向我请教美术方面的事。但是聊着聊着，他突然话锋一转，说："老师，您去过伦敦的大维德美术馆啊？您觉得波士顿藏的那件梅瓶怎么样？"说完，他让我稍等片刻，然后从里屋拿出一个包裹。接着，他打开包裹，从里面取出一件瓷器，看着我说："老师，您看看这个怎么样？"我回答："这应该是14世纪的景德镇陶瓷。"他马上问道："不不不，我问的是这个和别的瓷器比起来怎么样？"我只好打诨糊弄过去："我最近对景德镇的生产模式比较感兴趣呢。"

更有一个收藏家直接问我某件陶瓷值多少钱。我一般会反问："请您先回答我，您是觉得这件陶瓷美才买下的，还是觉得这件陶瓷在历史上知名才买下的，或者是觉得这件陶瓷会升值才买下的呢？"谁知，这个收藏家一点都不避讳，用大阪话直接回答我："哎，老师您这么和稀泥就没意思啦。"我答道："那我就直说吧。假如您是觉得这件陶瓷美才买的，那它即使是假的也无妨。假如您觉得它的历史价值高，如果是我的话碎片就足够了。但如果是看中它的升值才买的，那和去赛马场赌马是一个性质。下次您再买陶瓷的时候，可以考虑一下刚才我说的这三个要素，您最看重哪个。”

当然，四十多年前，我也是什么都不懂。多亏我遇到了好前辈，见识了很多陶瓷，才慢慢积累了一些知识，所以我对这些收藏家一点轻蔑的意思都没有。不过，古董市场的瞬息万变倒是让我很吃惊。诚然，用金钱来衡量美的程度是直观明了的，但我个人觉得，真正的“美”与其不相匹配。

逐渐流失的陶瓷

接下来，我要说一件让人担忧的事。在土器那一章中我们说过，土器包含了人类与陶瓷两万年的关系史。如今，人们都在使用耐用且价廉的塑料容器，土器生产行业受到猛烈冲击，说不定哪天就消失了。假如某天土器制造行业真的消失了，后人们说不定会骂我们这些人——你们这些陶瓷研究者都在干些什么？

好在，今年（1989年）在广岛举办的“'89海洋与岛屿博览会·广岛”的工作人员似乎跟我们这些陶瓷研究者有着一样的担忧，同意我们把在东南亚、南亚、中东、地中海地区和美洲等地搜集到的约一万件土器一同展出。

之后，我便到世界各处去调研土器制造行业的现状。叙利亚的哈马市原本有一片区域，过去那里家家户户都在制作土器，现在只剩下两家。现在危地马拉还有人在用传统的泥条盘筑法制作坛子，但他们和泥时用的水壶却是塑料的。当我在日本看到还有人在制作陶壶时的确很吃惊。但是小时候每家每户都有的素烧灰缸和芝麻炒锅现在已经完全消失了。最近很少有人用松柴烧登窑，基本都改用电窑了，就连辘轳也换成了电动的。这让我意识到要尽快把传统窑炉的资料记录下来。

随着社会观念的变化，很多东西逐渐消失。有时候会兴起一阵陶瓷热，但那跟我理解的陶瓷有着本质区别。喜欢美的事物乃人之常情，但我认为必须有人以史学家的身份用理性的视角来审视陶瓷的发展。

如今在日本，普通民众的日常餐具一半以上都是西式的。即使不愿意承认，我们也必须接受现实——通过茶道培养出的传统审美观已经被改变了。

后记

这三十年间，我经常在世界各地飞来飞去寻找陶瓷。当有人邀请我写一部陶瓷文化史时，我的第一反应是能写的东西太多了，如调查所得的史料、历史、游记等。但真正落笔时，我首先要回答的问题是——我为什么会如此热爱陶瓷？

一切开始于我被陶瓷的美所吸引，想再多看一些。接着，我了解到了中国瓷器，尤其是元青花瓷，竟然是景德镇接收的阿拉伯人的订单，这些瓷器后来通过海路运送至阿拉伯世界。此时，我对陶瓷的兴趣变成了揭秘历史之谜。

在写这本书的过程中，我对陶瓷的兴趣点也在逐渐变化，不仅是中国陶瓷，我对世界上其他地方的陶瓷也有了兴趣。

由于自身学艺不精，这本书的定位不是很明确，既像一部介绍陶瓷之美的科普书，又像一部陶瓷历史书。在最后一章，我还谈到了日本人对陶瓷的审美，内容颇杂。感谢川上隆志先生对我的信任，和我一起把这些杂乱无章的内容梳理清晰。此外，还要感谢我的老朋友榊原昭二先生向岩波书店推荐了我，以及一直以来关照我的诸位同行。

假如某个年轻人读了这本书之后，哪天在海边偶然捡到一块陶瓷碎片，脑海中能构建一幅陶瓷传播图的话，对我而言，便是很值得了。

“'89海洋与岛屿博览会·广岛”开展在即，我正忙着把从11个国家搜集到的约1万件土器分类。这期间，我一边指导土器的陈列位置，一边写这篇后记，内心非常激动。

三杉隆敏

1989年6月26日

写于“'89海洋与岛屿博览会·广岛”展会会场

参考文献

小江庆雄《水中考古学入门》，NHKブックス，1982年

冈崎敬《增補・東西交渉の考古学》，平凡社，1980年

加藤唐久郎《唐久郎のやきもの教室》，新潮社，1984年

神崎宣武《やきもののはなし》，さ・え・ら書房，1981年

艺术新潮编辑部编《日本やきもの紀行》，新潮社，1985年

小林彻、山本纪一《景德镇纪行——中国陶磁のふるさと》，NHKブックス，1981年

陈舜臣、三杉隆敏《NHK海のシルクロード》，日本放送出版協会，1989年

出川直树监修，艺术新潮编辑部编《やきもの鑑定入門》，新潮社，1983年

长泽和俊《シルクロード博物誌》，青土社，1987年

长泽和俊《海のシルクロード史》，中公新書，1989年

爱宕松男译《東方見聞録》(译者注：即《马可波罗游记》)，平凡社東洋文庫，1971年

三上次男《陶磁の道》，岩波新書，1969年

三杉隆敏《海のシルクロードを求めて》，創元社，1968年

三杉隆敏《海のシルクロード——中国染付を求めて》，新潮選書，1984年

三杉隆敏《世界の染付》全六巻，同朋舎出版，1981—1986年

三杉隆敏、榊原昭二《海のシルクロード事典》，新潮選書，1988年

由水常雄《ガラスの道》，德間書店，1973年

由水常雄《西洋陶磁史》，ブレーン美術選書，1977年

吉田光邦《やきもの》，NHKブックス，1983年

Garner, Sir Harry; *Oriental Blue and White*, Faber and Faber, 1954

Pope, John A.; *Fourteenth Century Blue and White, A Group of Chinese Porcelain in the Top Kapu Sarayi Müzesi, Istanbul,* Washington Freer Gallery of Art, 1952

Pope, John A.; *Chinese Porcelain from Ardebil Shrine,* Washington Freer Gallery of Art, 1956

注释

* 注：由于作者的著书时间为1989年，当时的一些陶瓷研究观点与现在有所出入，所以审校者对此进行了加注说明。

第二章　中国的瓷器

1. 作者在这里写的时间具有一定的争议。根据目前相关的研究来看，有依据的是，殷弘绪在1701—1719年在江西地区，尤其是饶州地区传教，但是其中具体哪些年在景德镇传教不得而知，所以作者这里说的1701—1709年的说法不知道是从哪里得出的。而且，殷弘绪在1712年给法国寄去第一封写有景德镇制瓷状况的书信，所以根据逻辑推断，殷弘绪在景德镇的传教至少都要持续到1712年。
2. 这是作者的个人观点，中国瓷器成为珍品的根本原因不只是原料的问题，与制作、绘画、烧造技术等都有很大的关系。因为欧洲人在发现高岭土后烧造的瓷器依然和中国瓷器有很大差距，所以根本原因并不只是原料。
3. 这一观点已经过时，现在普遍认为东汉时期就有成熟的瓷器了。
4. 景德镇瓷器进广州的线路其实不是这样的，是从鄱阳湖入赣江流域，然后在大余县的南安镇码头上岸翻越大庾岭，其后由北江顺流而下进入广州。
5. 该观点有误，一是元代有没有官窑还没有定论，这是陶瓷学界非常有争议的话题，元代在景德镇设立的“浮梁瓷局”是不是官窑性质存在非常大的争论。二是从严格意义上说，明清两代在景德镇设立的不是“官窑”而是“御窑”，烧造专门供皇家使用的瓷器，比“官窑”的地位更高。

第三章　青瓷：对玉石的憧憬

1. 对龙泉大窑窑址的发掘在最近10年间已经完成，作者这里的观点只代表当时的认知。

2. 龙泉窑没有所谓的搬家一说，只能说是福建的窑址在不断尝试中仿制龙泉窑青瓷。

3. 这一推测结论并不合理，因为更多的不是为了获利。毕竟船上的瓷器数量有限、预订者众多，所以进口青瓷来获利的论断不科学。

第四章　白瓷：白色的戏剧

1. 从1980年至今，已经发现了多处邢窑窑址遗迹，并且进行了科学发掘。

2. 作者在这一观点是不正确的，邢窑瓷器微微泛黄是炉火的火焰造成的，并不是瓷胎的问题，所以不能称之为“半瓷胎”。

3. 象牙白，现在的陶瓷学术界更多的是用其来形容明清时期福建的德化白瓷器。

4. 考古发掘表明，定窑烧造出的瓷器有一部分供官府使用，比如底部刻“官”字款的那些。

5. “青白瓷”这一名称一直沿用至今，并得到了学界的广泛认可，因此作者在这里说“青白瓷”的称呼被抛弃的观点是值得商榷的。

第五章　青花瓷：灵“西”一闪

1. 真正的中国青花瓷的出口量一点都不少，反而是数量非常多，尤其是明末清初时期，青花瓷的出口量非常庞大，成为外销瓷中最大宗的交易品。

2. 这里的“苏”并不是指苏门答腊，苏麻离青和苏门答腊几乎没有任何关系，作者的这种猜测是没有根据的。“苏”很有可能是中国人对青料产地或原料来源的波斯语的中文译名。

3. 元青花其实并不全是外销瓷，也有内销瓷器，比如那件至正十一年的元青花大瓶就是内销器物，瓶上记录的文字证明了这是内销瓷。

4. 作者这里的观点待商榷。因为明末时期景德镇的“御窑”可能没有了那么多的烧造任务，但御窑厂是绝不会根据需求来定制烧造瓷器的。作者混淆了“官窑”和“御窑”这两个概念，明末实行“官搭民烧”制度是因为御窑厂自身无法完成所有的订单，所以才强迫民窑来协助御窑厂烧制瓷器，但是这些民窑并没有官窑和御窑的性质，它们依然是民窑。所以作者这里所说的官窑，应该指的是“官搭民烧”制度下的那些民窑。

5. 陶工自主烧制的瓷器并不都是祥瑞染付，祥瑞瓷器根据最新的研究成果显示，其很有可能是日本人在景德镇订烧的瓷器。

第六章　多彩釉：东西交流的结晶

1. 景德镇的御窑是绝对不会生产外销瓷的，所以作者的观点存疑。

译名对照表

人名

A

阿拔斯一世 Abbas I of Persia

阿拉尔·艾丁·穆罕默德·穆纳希姆 Muhammad Munahim, Aral Edin

阿里·阿克巴尔 Akbar, Ali

B

玻西瓦尔·大维德 David, Percival

F

费雷德里克·萨勒 Saller, Frederick

H

哈利·加纳 Garner, Harry

L

理查德·基尔本 Kilburn, Richard

M

穆罕默德·喀什·别库·萨非 Kashchi Bek Safi, Muhammad

N

尼尔斯·帕尔姆伦 Palmgren, Nils

P

普卢默 Plummer

R

R.L. 霍布森 Hobson, R.L.

X

谢赫·萨非·丁 Safi al-Din, Sheikh

S

亚当斯·奥利·阿利乌斯 Orle Alius, Adams

Y

殷弘绪 Père Francois Xavier d'Entrecolles

约翰·波普 Pope, John

约翰·弗里德里希·伯特格尔 Friedrich Böttger，Johann

Z

詹姆斯·贾斯汀·莫里尔 Morier, Justinian James

地名、建筑物名称

阿德比尔神庙 Ardabil Shrine

阿姆拉什 Amlash

河中 Transoxiana

红堡 Lal Qil'ah

巨港 Palembang

库巴奇 Kubachi

马什哈德 Mashhad

佩里亚帕特蒂 Periyapatti

塞夫勒 Severs

托普卡帕宫 The TopkapI Palace

夏伊辛达墓园 Shah-i-Zinda

伊斯塔利夫 Istalif

专有名词、机构名称

巴库夫斯 Bakhus

巴库纳 Bakuna

皇家陶瓷 Royal Porcelaine

皇家伍斯特瓷器 Royal Worcester Porcelain Ware

马可·波罗瓷 Marco Polo Ware

贸易陶瓷学术研讨会 Manila Trade Pottery Seminar

“圣地亚哥”号 Santiago

新艺术运动 Art Nouveau

亚洲高速公路 Asian Highway

原始瓷器 Prototype of Porcelain

装饰艺术 Art Deco